Belle Belle Belle

DU MÊME AUTEUR

Dites donc, Lattès, 1985.

Allô Lolotte, c'est Coco, Flammarion, 1987.

Maman coq, Flammarion, 1989.

Mademoiselle, s'il vous plaît !, Flammarion, 1991.

Ah ! l'amour, toujours l'amour, Flammarion, 1993.

Papa qui ?, Flammarion, 1995.

Des hommes en général et des femmes en particulier, Plon, 1996.

C'est pas bientôt fini !, Plon, 1998.

Dis, est-ce que tu m'aimes ?, Plon, 2000.

Dis voir, Maminette..., Plon, 2003.

Claude Sarraute

Belle Belle Belle

Roman

PLON

ISBN 2-259-20062-1

— Allô, Pat ? C'est moi, c'est Lisa. Tu ne devineras jamais ce que m'a sorti Axelle pas plus tard que ce matin : « Ecoute, maman, faut que je te dise, mes seins, ça va pas, mais alors pas du tout. Ils sont beaucoup trop petits, comme si j'en avais carrément pas. Ça me pourrit la vie. Alors, je te préviens, pour mes quinze ans, toi et papa, vous m'en offrez d'autres, des vrais, des gros, des seins de femme, quoi. Sinon... »

— Et alors, ça t'étonne, sœurette ? La plupart des adolescentes ne pensent qu'à ça, se faire refaire de partout pour se sentir moins mal dans leur peau. Elles se trouvent trop maigres ou trop grosses. Elles détestent leur nez ou leurs fesses. Et elles refusent d'attendre d'être pleinement formées pour ressembler à Julia Roberts.

— Enfin, Patricia, c'est de la folie !

— Je sais bien, Lisa, mais la faute à qui ? A toi et à *Belle Belle Belle* entre autres. Tu t'es jamais demandé pourquoi l'anorexie ne frappe que les filles, très rarement les garçons ?

— Parce qu'elles entretiennent des rapports complexes, souvent malsains, avec leur mère, voilà pourquoi.

— C'est ce que disent tes gourous de psy, faut bien qu'ils gagnent leur vie. Mais la vérité est toute différente et toute bête. Elles sont complètement intoxiquées, victimes des oukases que décrètent, à l'occasion de leurs collections d'hiver et de printemps, les couturiers en choisissant des mannequins de plus en plus jeunes, de plus en plus minces, limite anorexiques, oukases relayés par vos magazines à la con.

— D'où tu tiens ça ?

— De Simone Baron, l'ancienne rédactrice de mode du *Figaro*. Quand sa fille de seize ans a cessé de s'alimenter, très inquiète, elle est allée consulter le médecin de famille et il ne s'est pas gêné pour lui mettre le nez dans son caca : « Cherchez pas, les responsables, c'est vous et vos collègues de la presse féminine. » On est fragile à ces âges-là. Fragile et excessif.

— Peut-être, mais pas au point de se laisser littéralement mourir de faim sous prétexte qu'on a deux, trois kilos en trop quand même !

— La preuve que si. Mais bon, sans aller jusqu'à ces extrêmes, tu dois bien admettre que vous foutez des complexes épouvantables à toutes les malheureuses qui cherchent à se reconnaître dans l'image idéale de la femme que vous leur imposez à longueur d'année sans égard et sans pitié. En toute impunité.

— Pas moi ! Moi, à *Belle Belle Belle,* je suis chargée du courrier du cœur, pas des pages mode ou beauté.

— Je t'en prie, Lisa, pas ça, pas toi, pas moi ! Qui c'est qui encourage maman à se faire lifter tous les six, sept ans ? Pas moi, toujours !

— Tu ne la décourages pas non plus, attends ! Tu es incapable de lui refuser quoi que ce soit, tu sais bien.

— Le moyen ? Tu n'arrêtes pas de lui vanter les perspectives ouvertes au genre humain par les progrès de la diététique, de la médecine et de la technique. C'est ton nouveau credo. Demain, tout le monde il sera jeune, il sera sain, il sera beau. Vrai ou faux ?

Vrai. Et je partage entièrement le point de vue de Lisa. Je vous étonne, là ? C'est quoi, cette nouvelle indulgence pour celles, pour ceux, les hommes y viennent aussi, qui refusent d'arrache-pied de vivre et de vieillir au naturel ? C'est d'autant plus surprenant que dans mon dernier bouquin, *Dis voir, Maminette*, j'ai poussé un grand coup de gueule contre l'âgisme, le racisme antivieux. Et je m'en félicite. Simplement, à la lumière de ce formidable révélateur, notre attitude face aux quinze mille victimes de la canicule en août 2003, j'ai bien dû me rendre à l'évidence : c'est un combat sans espoir, un combat perdu d'avance.

Pourquoi ? Tout simplement parce que, à vouloir occulter la mort, la cacher derrière un paravent dans une chambre d'hôpital ou la confiner entre les quatre murs d'un petit logement dont seules de trop rares aides à domicile franchissent encore le seuil, le grand âge qui y conduit irrémédiablement nous dégoûte et nous panique. Il suffisait pour s'en convaincre de regarder, cet été-là, les images retransmises à la télé.

Plutôt que de nous infliger la vue insupportable, même pour moi, oui, je l'avoue, des rescapés, ces presque cadavres, on ne nous a montré que leurs mains griffues, décharnées, en braquant les caméras sur le sourire rassurant du personnel soignant.

A noter que, dans les maisons de retraite, on en recrute de plus en plus difficilement. Ces femmes, des professionnelles pourtant, refusent de langer des fesses fripées et de nourrir à la cuiller des bouches édentées. S'agissant d'un nouveau-né, on s'émerveille, on s'attendrit : c'est trop trognon. Mais devant un bientôt mort, on se raidit, on se recule : c'est trop affreux.

Oui, je sais, il n'y a pas d'âge pour mourir. Le cancer, le sida, la bagnole frappent à l'aveugle, mais ça, on préfère l'oublier. Ça n'arrive qu'aux autres. Non, la mort, c'est l'affaire des vieux, de plus en plus vieux au fur et à mesure que s'accroît l'espérance de vie et que recule l'heure d'y passer. Discrètement, s'il vous plaît, sans faire de bruit, histoire de ne pas nous rappeler au sens d'une insupportable réalité.

Seulement, voilà, si la mort, on veut, on peut l'ignorer, la vieillesse, en revanche, ou plutôt le vieillissement qui y conduit inexorablement nous obnubile. Et nous terrifie. A tous les âges de la vie.

Du coup, virage sur l'aile. Ce dont j'ai envie de vous parler aujourd'hui, c'est de la victoire programmée inscrite dans un avenir relativement proche, j'en suis convaincue, de la jeunesse et de la beauté sur les ravages du temps et les imperfections de la nature.

OK, mais tu pourrais peut-être commencer par nous présenter les deux nanas qui viennent d'en discuter au téléphone. Bien sûr ! Où avais-je la tête ? Deux sœurs. L'aînée, Patricia, trente-huit ans, célibataire, excellente conseillère fiscale, à la tête d'un cabinet prospère. Longue, maigre, élancée, petite mangeuse et grande sportive, bronzée été comme hiver, un vrai garçon manqué, pas désagréable à regarder, pas du tout, elle entend vivre et vieillir au naturel.

Quant à Elisabeth, de deux ans sa cadette, mère d'une petite Axelle de quatorze ans, elle vit toujours, bien qu'elle soit parfois tentée de regarder ailleurs, avec le père de sa gamine, un ado attardé de bientôt quarante-cinq balais ; Jean-Bernard, dit JB. Jolie comme un cœur — elle tient ça de leur mère, une ancienne speakerine à la télé —, Lisa est trop attentive au mal-être des lectrices de *Belle Belle Belle* pour ne pas les encourager à tenter de corriger l'image non conforme aux normes de rigueur que leur renvoient, impitoyables, les pages d'un magazine auquel elle adhère sans aucune arrière-pensée.

— Qu'est-ce qui se passe, maman, t'as pas l'air dans ton assiette ? Quelque chose qui ne va pas ?

— Arrête de m'appeler maman, tu veux, Patricia ? Déjà que je me sens complètement décatie, ça me fout un de ces coups de vieux !

— Comment ça, décatie ? Tu es superbe, oui ! Tu fais dix ans de moins que ton âge.

— Normal, en principe, après un lifting. Sauf que cette fois-ci, c'est pas vrai. J'aurais dû écouter ta sœur et m'adresser au professeur Mérieux au lieu de me précipiter chez ce charlatan de Pincetout sous prétexte qu'il avait plus ou moins réussi le dernier.

— Ecoute, Mady, sois raisonnable. Elle aurait quand même pu te le dire, Lisa. A soixante-six ans tu peux pas espérer les mêmes résultats qu'à quarante-cinq. La peau est moins souple, moins élastique, plus...

— Plus fripée, oui, je sais. N'empêche, quand tu vois toutes ces vieilles stars entièrement refaites, Gina Lollobrigida, Sophia Loren et les autres, elles n'ont pas une ride, rien. Des visages éternellement jeunes. Pourquoi elles et pas moi ?

— J'en sais rien, moi. C'est peut-être une question d'hygiène de vie. Elles doivent faire terriblement attention. Alors que toi, tu aimes te faire plaisir, tu clopes, tu bois, tu...

— Pas plus de six cigarettes par jour. Jamais d'alcool fort. Du champagne, ça oui, mais bon...

— T'as bien raison, attends ! S'il fallait se priver de tout pour... De toute façon, quoi qu'on fasse, on est trahi par ses mains, tu sais bien.

— Moi, de ce côté-là, ça va encore à peu près. Non, c'est là, regarde, à la commissure des lèvres, autour des yeux. Un vrai désastre.

— Mais non, ça fait naturel, au contraire. Tu ne veux quand même pas ressembler à ces femmes qui se font tellement tirer qu'elles ont un regard écarquillé sans aucune expression et un sourire complètement figé. On dirait des carpes.

— N'importe quoi ! On dirait une carpe, Claudia Cardinale, peut-être ? Et je te parle pas de mes anciennes collègues, speakerines à la télé. Les années passent, elles ne bougent pas. Tu leur donnerais trente-cinq ans maxi. Le plus marrant, c'est que ça n'étonne personne. On se dit qu'elles sont drôlement bien conservées, voilà tout.

— Oui, c'est vrai. Et celles qui ne le sont pas évitent de se montrer en public.

— Le moyen avec Charles ? Il est de tous les galas, de toutes les premières, tu sais bien. Même à la maison, chaque matin, c'est la panique. Je m'oblige à me lever dans le noir pour courir me refaire une beauté dans la salle de bains. Enfin, un semblant de beauté, là, maintenant.

— Voyons, mam... Mady, sois raisonnable. Ça fait des années que vous êtes ensemble, même s'il t'a aimée pour ta beauté, ta notoriété, tout ça, avec le temps ses sentiments ont évolué en profondeur, en... Il ne va quand même pas te larguer sous prétexte que t'as pris de l'âge. Et lui, donc ?

— Un homme, c'est pas pareil. Tu verrais les minettes que se tapent ses copains ! Moi, dans la bande, je fais tache, c'est clair. Ça me mine à un point, tu peux pas t'imaginer !

— Tu sais quoi, elle a raison, Lisa, Mérieux, question chirurgie plastique, paraît qu'il n'y a pas mieux. Elle ne connaît que lui. Appelle-la. Elle t'aura un rendez-vous dans la semaine, sinon tu vas attendre des mois. Mais à une condition, sûr que Lisa te posera la même : s'il te dit qu'il n'y a rien à faire, tu ne fais rien, promis ?

— Oui, ben ça, on verra.

Elles ont beau se friter, à temps réguliers, sur leur façon de voir les choses, Pat et Lisa sont très proches, très liées. Si différentes l'une de l'autre à tous points de vue qu'elles n'ont jamais éprouvé l'ombre de cette jalousie qui taraude bien souvent les membres d'une fratrie. Entre elles, pas de complexes, pas de sentiment d'infériorité ni d'envie. Mais de la part d'Elisabeth, complètement snobée par la forte personnalité de son aînée, l'élément dominant de leur couple, une énorme admiration pour l'indépendance d'esprit de Patricia et son indifférence désinvolte à ce qu'on peut bien penser d'elle. Touchée, secrètement ravie, Pat ne l'en aime que davantage.

Elles se font entièrement confiance, se

téléphonent plusieurs fois par semaine et témoignent l'une et l'autre d'une indulgence attendrie pour cette vieille petite fille de Mady, complètement désemparée devant l'inéluctable déclin de ses charmes. Elles la maternent, la consolent, la chouchoutent, la traitant moins en mère, ce qu'elle n'a jamais été, qu'en gamine. Mady, diminutif de Madeleine — prénom ô combien daté ! —, leur a peu donné, d'où peut-être cette absence de rivalité entre les deux sœurs. Et beaucoup demandé. Des compliments, des conseils et l'assurance sans cesse renouvelée d'être encore et toujours égale à ce qu'elle a été.

Patricia qui n'a jamais voulu s'encombrer d'un mari, encore moins de gamins, a reporté toute sa tendresse sur cette femme-enfant exigeante, narcissique, angoissée, touchante et fragile. Désarmée devant tant de futilité et de désarroi, Pat, pourtant si lucide et si sévère avec elle-même et avec les autres, ne peut pas s'empêcher d'entrer dans ce jeu dangereux, à la limite du pathétique. Et Lisa, en collaboratrice convaincue de *Belle Belle Belle*, lui emboîte tout naturellement le pas.

— Allô, c'est toi, Vivi ? C'est Lisa. Qu'est-ce que tu deviens ? Ça fait une éternité qu'on...

— Au point que, quand tu me verras, tu ne me reconnaîtras pas.

— Pourquoi, t'as changé de couleur de cheveux ?

— Non, je me suis fait opérer. Rien de grave. Un petit coup de bistouri pour changer la forme de...

— Ton nez ? T'aurais pas dû. Il est un peu fort, c'est vrai, mais...

— Merci bien ! Non, s'agit de mes fesses. J'en avais pas et ça me rendait malade. D'autant que mon mec n'arrêtait pas de me charrier : deux galettes, rien à se mettre sous la main.

— Ne me dis pas qu'on t'a farci les

fesses façon dinde de Noël avec deux poches en plastique gonflées au silicone. Je croyais que ça ne se pratiquait qu'au Brésil.

— Non, plus maintenant. Mérieux s'y est mis et bon...

— Ça alors ! Et Patricia qui ne m'a rien dit !

— Normal ! Je me suis bien gardée de lui en parler, tu penses, elle aurait poussé les hauts cris.

— Pour ça, oui, je l'entends d'ici. Alors, raconte, c'est douloureux ?

— Très. Tu ne peux ni t'asseoir ni te coucher sur le dos pendant six semaines, tellement t'es mal.

— Et t'es contente du résultat ?

— Ra-vie ! Enfin, elles pendouillent encore un peu vers le bas, mais avec une bonne petite liposuccion... En attendant, quand je me mets en minijupe, crois-moi, ça le fait. Non, le problème, c'est Julien. Il l'a très mal pris. Je ne lui en ai pas parlé, tu comprends, parce que lui, la chirurgie esthétique, ça le hérisse. Alors quand il s'est retrouvé avec un derrière qu'on ne pouvait plus poser nulle part, il en a eu vite marre et il s'est tiré.

— Il reviendra, t'inquiète. De toute façon, c'est à toi, pas à lui de t'occuper de tes fesses, c'est le cas de le dire.

— Oui, d'accord, reste que de me retrouver toute seule avec mon joli petit cul tout neuf, pour un peu, ça m'aurait gâché le plaisir. A un moment, j'en étais même arrivée à me demander si je ne devrais pas virer mes implants.

— Enfin, Vivi, tu ne vas quand même pas sacrifier ton popotin à ton copain. Il serait peut-être le premier à le regretter d'ailleurs.

Vous vous récriez, là. Dis voir, elle n'est pas bien dans sa tête, ta Vivi ! Non, pourquoi ? C'est une jolie fille d'une trentaine d'années, rédactrice au service mode de *Belle Belle Belle*, qui faisait une fixette sur ses fesses, voilà tout. Oui, bon, peut-être, mais jamais, au grand jamais, vous n'iriez vous faire charcuter pour arrondir, ou raffermir les vôtres. Surtout après avoir vu en quoi consiste l'intervention à la télé ! Rien que d'y penser, ça vous donne la chair de poule.

Alors, là, permettez ! Si vous l'avez vue, cette émission sur les résultats inespérés de la chirurgie esthétique, c'est que vous l'avez regardée ! Pleines de curiosité, d'espoir aussi, non ? Qui n'a pas rêvé d'un corps parfait ou d'un visage préservé des griffures de l'âge ?

Pas Patricia, c'est vrai, elle s'accepte sans problème et juge d'un œil sévère les nanas obnubilées par leur physique. Quant à Lisa, elle se montre très attentive au fait que nombre de ses lectrices ne s'aiment pas. Des problèmes d'image de plus en plus souvent. La leur ne correspond pas, ne correspond plus à celles que leur renvoient les stars de la presse people et les créatures sublimes qui envahissent les pauses pub à l'écran, le petit et le grand.

Entièrement fabriquées par notre civilisation de l'image, elles ne sont que ça, une image. Rappelez-vous le règne sans partage des top models. Des modèles inaccessibles toujours plus élancés, plus diaphanes et plus jeunes, lancés sur le marché, à chaque défilé, par les grands couturiers.

Nous, on se prosternait, extasiées, devant ces déesses sur papier glacé, sans même imaginer pouvoir leur ressembler. Ni de près ni de loin. Jusqu'au jour où les créateurs se sont aperçus que la beauté de leurs vêtements était totalement éclipsée par celle des mannequins chargés de les mettre en valeur. *Exit* les top.

Très vite récupérés par les annonceurs et souvent remplacés, faut bien répondre à la demande, par les vedettes du cinéma ou de la chanson dont le physique compte au moins autant que le talent. Ces femmes-là, des femmes comme vous ou moi, des femmes dont les défauts, les formes souvent effacés, remodelés sur ordinateur, on le savait, allaient nous soumettre à la tyrannie d'un corps idéal en nous incitant à en faire autant.

Ça n'est certes pas une partie de plaisir, pas encore, mais plus ça ira, les progrès de la médecine et de la technique aidant, plus ce sera fiable et bon marché et moins les suites seront pénibles. Dites-vous bien une chose, les femmes qui se livrent sans attendre au bistouri sont des pionnières. Pareil que celles, il y a déjà un bon demi-siècle, qui ont échangé leur pif contre un joli petit nez de chat. Modèle unique à l'époque. Pratique courante aujourd'hui.

Enfin, courante... Moi, ce qui me frappe c'est le nombre de nanas obnubilées par leur culotte de cheval qui se trimballent un tarin à la Cyrano sans aucun problème. Prenez Vivi. Elle, son nez, elle y tient. Il lui vient de son père. Et puis, elle n'est pas obligée de l'habiller, de le promener dans les boutiques, sous l'œil goguenard des vendeuses, à la recherche de quelque chose qui lui aille. Alors, bon, elle se le garde. Quitte à en changer plus tard, sait-on jamais !

— Alors, c'est d'accord ?

— D'accord sur quoi ?

— Je t'ai dit. C'est l'anniversaire de Sarah, elle invite des copains ce soir et...

— Lesquels ?

— Clémence, la Puce, Romain, toute la bande...

— Romain, encore ! Je me demande ce que tu lui trouves à ce petit crétin.

— Arrête avec ça, il mesure 1,86 mètre et il est hyperintelligent. Qu'est-ce que tu as contre lui ?

— Mais, rien, rien du tout. Et tu comptes y aller dans cette tenue ?

— Quoi, qu'est-ce qu'elle a, ma tenue ?

— Tu as l'air déguisée en serveuse de Hard Rock Café.

— Et toi, tu sais en quoi t'es déguisé ?

En faux jeune. C'est ridicule à ton âge ce look tout en cuir, tout en noir, crâne dégarni, queue-de-cheval et barbe de trois jours, façon Gainsbourg.

— Tu me traites de vieux con, c'est ça ?

— Et toi, tu te gênes, peut-être, pour me traiter de petite pute. En fait, ce qui t'emmerde, c'est de ne pas sortir avec moi. T'es jaloux, tout simplement.

— Jaloux, moi ? De cette bande de débiles ?

— Tu vois, ça recommence. J'en ai marre, mais alors ras la frange, je vais te dire. T'es toujours à me surveiller, à me demander des comptes : « Qui c'est, ce type ? A quelle heure tu rentres ? » Et quand ils viennent à la maison, ou tu les vires ou ils se tirent tellement t'es odieux.

— C'est quoi, cette scène de ménage ? On vous entend vous engueuler jusque dans l'escalier.

— C'est JB, maman, il fait que de m'embêter.

— Non, Lisa, c'est Axelle. Elle est devenue intenable, ta fille, question sorties, tout ça. Moi, je te préviens, elle va où elle veut, avec qui elle veut, je m'en lave les mains.

— C'est la tienne de fille aussi, chéri, je te signale. Si tu te comportais en père et pas en copain de son âge, tu aurais peut-être plus d'autorité sur elle.

— Quoi, mon âge ? Tu ne voudrais tout de même pas que je mette un costard-cravate pour obliger cette petite dinde à m'écouter.

— Dindon toi-même, papa, toujours à faire la roue, à frimer devant mes amis pour mieux les débiner ensuite.

— Bon, ça va comme ça, vous deux ! On réglera ça plus tard. Là, je ne fais que passer. Faut que je retourne au journal.

— Encore ! Tu crois pas que tu pousses un peu, maman ? Ton mensuel, il boucle tous les soirs, depuis quelque temps.

— Ah, je t'en prie, Axelle ! Un : c'est pas un bouclage, c'est une réunion de service. Et deux : je n'ai pas de comptes à rendre à une gamine de quatorze ans qui ne pense qu'à sortir s'amuser au lieu de se préoccuper d'entrer au lycée.

— Ta mère a raison... Ben, qu'est-ce que tu fais, Lisa ? Tu te changes pour aller à une séance de travail ? C'est pour quoi et pour qui, ce petit haut transparent et ces sandales à talons, on peut savoir ?

— C’est pour moi, figure-toi !

— Tu te fous de moi ?

— Tu vas me lâcher, oui, JB ? Et Axelle, tu la lâches aussi pendant que tu y es.

— Merci, maman, mais, quand même, papa a raison. C’est pas normal de se faire belle pour retourner bosser.

— Si, c’est normal. J’ai pas envie de traîner en tee-shirt et en baskets jusqu’à 1 heure du matin.

— Attends ! C’est à cette heure-là que tu comptes rentrer ?

— Ravie de vous avoir réconciliés, les enfants, même si c’est à mes dépens. En échange, promettez-moi de ne pas recommencer à vous chamailler dès que j’aurai le dos tourné.

C'est une drôle de fille, Patricia. Très secrète sur sa vie privée et très curieuse de celle des autres. Une curiosité qui la pousse toujours à dire sa façon de penser. Et à porter souvent des jugements sans appel sur le comportement de ses contemporaines. Trop jalouse de son indépendance pour se lier durablement avec un homme, elle est parfois prise d'un désir soudain, précis, à peine satisfait que déjà oublié Il y a encore quelques années j'aurais parlé à son propos de sexualité toute masculine si de plus en plus de femmes n'affichaient la même. Les mecs, elle les prend et elle les jette après usage sans scrupule et sans états d'âme. Ça ne lui arrive pas tous les jours, attention, dans ce domaine non plus elle n'a jamais eu un gros appétit, mais comme ça, de temps en temps, histoire de satisfaire un besoin naturel.

Avare de confidences, elle n'en a jamais parlé à personne, pas même à sa sœur, et il ne viendrait à l'esprit de personne, pas même à sa sœur, de lui poser des questions à ce sujet. Ainsi en va-t-il avec Salomé, une copine d'Elisabeth pour qui Pat s'est prise d'amitié.

— Pour moi, ce sera un carpaccio de thon, une salade et basta. Et toi ?

— Je sais pas trop... Ben, tiens, la brandade purée.

— Enfin, Salomé, sois raisonnable. Pas la peine de te faire liposucer, si c'est pour reprendre du ventre aussitôt.

— Oui, je sais, Pat, mais je peux pas m'empêcher de bien bouffer. J'ai plus que ça dans la vie, les plaisirs de la table. Parce que pour ceux du lit...

— Qu'est-ce que tu racontes ? T'arrêtes pas de lever des mecs hypermignons qui ne demandent qu'à...

— Me sauter, ça, oui. A peine s'ils me font la nuit.

— Attends, t'as tout juste trente ans, ne

me dis pas que tu cherches un père pour le bébé de la dernière chance ?

— Surtout pas ! Pour le moment, je me contenterais parfaitement du simulacre de la reproduction si j'y prenais du plaisir. Mais le moyen en enchaînant les coucheries sans lendemain ? Ça se cherche, ça se trouve, ça se perfectionne, le plaisir et bon, ça prend un certain temps, ça exige un minimum d'engagement, quoi !

— Oui, bon, mais sauf à tomber sur un virtuose de la chose, la plupart des mecs ne songent qu'à tirer un coup.

— Un bon coup de préférence, non ? Désolée, mais dans la vie c'est pas comme au cinéma où neuf fois sur dix, les deux héros se réveillent le lendemain matin, dans les bras l'un de l'autre, terrassés, chavirés par une folle nuit d'amour.

— C'est bien pour ça que, si c'est pas super, les garçons vont voir ailleurs. T'as qu'à faire pareil. Avec un peu de chance tu finiras par tirer le bon numéro. A condition de faire attention, merde, quoi ! T'as vu un peu le bide que tu te payes ? On croirait un petit de six mois.

— Remarque, j'ai de la chance. Moi, quand j'engraisse c'est à la taille et aux hanches. Dans ces cas-là plutôt que de s'emmerder à suivre un régime, rien de tel qu'une bonne petite liposuccion.

— Non, mais j'hallucine ! Tu vas pas remettre ça, putain !

— Je vais me gêner ! Au service de chirurgie réparatrice, ils ne savent plus où donner de la pipette. Tiens, je t'ai pas dit, Vivi, ses fesses, c'était pas encore ça, elles pendouillaient un peu vers le bas.

— Oui, je sais, Lisa m'a raconté. Vivi, elle, n'avait pas osé. A juste titre. T'aurais vu la jappée que je lui ai mise dès que j'ai su ! Se faire rembourrer le postérieur, non, mais vous êtes toutes complètement givrées, ma parole !

— Pourquoi ? Vivi, Mérieux lui a aspiré ça en deux temps trois mouvements. Résultat, elle se paye un de ces petits culs ! Celui de Naomi Campbell, c'est rien à côté.

— Attends, Salomé, mais c'est plus du tout tendance, ça, demande à Lisa. Maintenant il n'y en a plus que pour les fesses bien rebondies de Jennifer Lopez ou d'Emmanuelle Béart.

— Ouais, ben, ça tu le gardes pour toi, Pat, OK ! D'autant que dans ce domaine, la mode change tous les cinq ans. Son derrière à Béart est peut-être in, mais ses lèvres gonflées au collagène, façon mérou, sont complètement out. Alors, tu vois.

— Ce que je vois, c'est qu'au train où ça va, vous allez passer votre temps à vous faire rafistoler de partout, histoire de ressembler à des modèles à peine lancés sur le marché que déjà dépassés.

— La faute à qui ? Tu dois le savoir. Alors, au lieu de nous la jouer on-est-comme-on-est-et-on-s'accepte, tu pourrais montrer un peu d'esprit de famille et nous féliciter des efforts qu'on fait pour obéir aux mots d'ordre de ta sœur et de ses collègues de la presse féminine.

Oui, je sais, le phénomène dont je vous parle ne touche encore qu'un tout petit milieu urbain, jeune et friqué, celui de la pub, de la mode, du show-biz et des médias. Il s'étend, notez. Il englobe depuis plusieurs années déjà les cadres bloqués dans leur avancement à l'approche de la cinquantaine qui se font ravaler la façade pour la tenir à distance. Sans parler des secrétaires, des vendeuses et des employées de bureau prêtes à rogner sur leurs économies ou à demander un crédit pour passer, elles aussi, sous le bistouri.

Aux Etats-Unis, le ministère de la Défense a trouvé dans l'accès gratuit à la chirurgie plastique une incitation à rejoindre l'armée. Des milliers de jeunes recrues mâles et surtout femelles y ont eu recours ou en ont fait profiter leurs proches. Non sans éveiller l'attention indignée de nombreuses associations de contribuables furieuses de voir que l'argent des impôts sert à gonfler les seins ou à aplatir le ventre des troupes. A quoi l'état-major rétorque que c'est très utile, que ça permet aux chirurgiens de ne pas perdre la main en attendant l'occasion de réparer les gueules cassées au front.

Ce désir avoué, revendiqué, de perfection physique a même donné naissance à ceux qu'on appelle, des deux côtés de l'Atlantique, les metrosexuels, homos ou hétéros au choix, ralliés à la mode gay et fervents adeptes de produits de beauté autrefois piqués à leurs compagnes, aujourd'hui rebaptisés lignes pour homme, exposés sans problèmes en tête de gondole. Et les instituts ne comptent plus les clients assidus très portés sur les massages, masques, manucures et soins de toutes natures.

Mieux : à Pékin, l'an dernier, un concours de beauté artificielle — le premier du genre — était réservé aux seules candidates retouchées au scalpel !

Comme le caillou lancé dans une mare qui dessine des cercles concentriques de plus en plus larges, le culte de Vénus-Apollon va se répandre, vous verrez, d'ici la fin du siècle et finira par gagner, de proche en proche, toute une population qui ne se sent pas encore concernée — loin s'en faut — par des impératifs totalement étrangers aux astreintes de sa vie quotidienne. Elle se soucie de sa forme, sans doute, pas de ses formes. Pas encore.

Marrant d'ailleurs de constater qu'à l'heure où l'exigence d'une minceur quasi virtuelle propulse toutes les semaines une nouvelle batterie de conseils « Comment maigrir » en couverture des magazines, un Américain sur trois et déjà plus d'un Français sur dix, petits et grands, petits surtout, leur nombre ne cesse d'augmenter, souffrent d'obésité. Enfin 41,6 pour cent des hommes de ce pays — pour les femmes ça tourne autour de 36 pour cent — accusent un surpoids qui risque de leur valoir de graves ennuis de santé.

Tant et si bien qu'affolés par l'ampleur de ce fléau les pouvoirs publics se sont crus obligés d'intervenir en interdisant — malgré l'énorme pression de l'industrie agro-alimentaire — la présence de distributeurs automatiques dans les écoles, les collèges et les lycées. Les boissons sucrées et les barres chocolatées, fini, ça, terminé. Buvez de l'eau, mangez des fruits et circulez, il n'y a rien à voir... à la télé.

Vous remarquerez que plus on s'élève dans l'échelle sociale, plus les gens sont grands, minces et musclés. Normal. Si vous avez les moyens de préférer un coach à domicile, une partie de tennis et un plateau de fruits de mer aux tâches ménagères, à une soirée foot sur canapé et à un cassoulet en boîte, question silhouette, il n'y aura pas photo. Quant à la taille, elle augmente régulièrement, de génération en génération, dans tous les milieux, sans qu'on sache exactement pourquoi d'ailleurs. Avec une mention spéciale pour les Néerlandais, un peuple de géants qui dominent d'une bonne tête les Méditerranéens plus petits, plus râblés et plus noirs de poil. L'hérédité, ça pèse. Surtout sur les Japonaises, courtes sur pattes de mère en fille, à l'injuste différence de toutes leurs voisines du Sud-Est asiatique.

En fait de séance, c'est à un dîner « de travail » auquel se rend, légère et court vêtue, les joues roses et le regard brillant, ma petite Lisa. Un dîner en tête à tête à La Closerie des Lilas. Avec qui ? Avec l'un des héros de cette histoire, le professeur Marc Mérieux, la petite cinquantaine, étroitement surveillée, mais tranquillement affichée, grand, mince, tempes grises et fines rides d'expression autour de la bouche et des yeux qui se répondent quand il sourit. Très médiatique — c'est toujours lui qu'on interviewe dès qu'il s'agit de chirurgie esthétique — il collectionne les conquêtes que lui valent une notoriété croissante, un charme dont il joue à volonté et un physique à la Clint Eastwood en plus jeune.

Pourtant jolie à croquer, Lisa avait

échappé à son regard de prédateur jusqu'au jour où *Belle Belle Belle* l'a convié à une table ronde destinée à répondre aux questions de la rédaction. D'où cette invitation à dîner quasi machinale pour lui, inespérée pour elle. Bien que parfaitement au fait de sa réputation de dragueur, elle est persuadée — ne le sont-elles pas toutes ? — qu'elle réussira à se l'attacher. Ne serait-ce que le temps d'une liaison en marge d'un conjungo qui commence à l'agacer sérieusement.

Prétexte à cette rencontre, la lettre d'une lectrice qui relève, lui a dit Mérieux, d'un cas banal encore que répandu nécessitant une explication plus approfondie et plus pointue. Il s'agit d'une blonde oxygénée, les cheveux aux épaules, courte sur pattes, aux traits poupins qui envisage de se faire opérer une quatrième fois pour se réveiller enfin avec son « vrai » visage : hautes pommettes, grands yeux qui lui mangent toute la figure, lèvres sensuelles et teint translucide façon Arielle Dombasle.

Après avoir passé commande, huîtres et homard grillé le tout arrosé au champagne, et repoussé tendrement le petit magnétophone que Lisa a sorti de son sac,

Mérieux va se lancer dans un topo bien rodé sur le fait que, s'agissant d'une chirurgie du désir, certaines patientes, incapables de se satisfaire d'un résultat qui ne correspondra jamais à l'image impérieuse d'une beauté quasi virtuelle, retourneront d'autant plus volontiers sur le billard qu'elles ont fait un transfert sur leur chirurgien. Plus qu'un père, un dieu tout-puissant seul capable d'exaucer leurs rêves.

— Ça alors ! Vous voulez dire qu'elles sont toutes amoureuses de vous ?

— Pas toutes, voyons, loin s'en faut, il s'agit là de cas pathologiques dont je me méfie comme de la peste. Tiens, c'est curieux...

— Quoi donc ?

— Vos yeux. Je les voyais bleus. En fait ils sont violets. C'est plutôt rare.

— Plus maintenant. Suffit de mettre des verres de contact.

— Assortis à sa robe, oui, je sais. Mais bon, quand on est aussi jolie... Si, si, vous êtes absolument ravissante.

— C'est un compliment qui me va droit au cœur venant de l'expert que vous êtes, professeur.

— Soyez gentille, appelez-moi Marc. A propos, Lisa, c'est votre vrai prénom ?

— C'est le diminutif d'Elisabeth.

— C'est superbe, Elisabeth.

— Oui, j'aurais préféré, mais bon, je m'y suis faite.

— Je ne comprends pas, on s'est souvent croisés, souvent parlé au téléphone — encore tout récemment au sujet de Madame votre mère, non ? — et je n'avais pas remarqué à quel point vous étiez séduisante. C'est quand même insensé ! J'espère que vous me permettrez de rattraper le temps perdu.

Elle ne dira ni oui ni non, pas la peine. Ses yeux baissés sur sa coupe de champagne, son demi-sourire à la Mona Lisa et sa main frémissante sous celle de Mérieux parleront pour elle : Si vous voulez, tout ce que vous voudrez, quand vous voudrez. Du coup, lui, sentant la partie gagnée :

— Je vous inviterais bien à prendre un dernier verre, mais vu que demain j'opère à partir de 7 heures du matin, je préfère remettre ça à... Tiens, je n'ai pas pensé à vous le demander : Vous avez quelqu'un en ce moment ?

Trop fine mouche pour ne pas trouver

les mots qui rassurent, elle évoquera brièvement, inutile de s'appesantir, et JB et Axelle, histoire de lui laisser à entendre que, déjà prise, elle ne cherchera pas à l'accaparer.

— Bien, très bien ! Alors que diriez-vous de vendredi prochain, ma beauté. Je vous appelle pour confirmer et vous donner l'adresse du restaurant japonais où je compte vous emmener.

— Dis voir, Lisa, tu as des nouvelles de maman ? Impossible de la joindre. Elle est toujours sur répondeur et elle ne rappelle pas.

— Moi, pareil. En revanche, j'ai eu Mérieux. Je lui ai expliqué pour Mady. Et il pense que ce serait de la folie de tenter quoi que ce soit question lifting, vu qu'elle en a déjà fait trois. Le remède serait pire que le mal. J'en ai parlé à maman à mots couverts, naturellement, mais bon, c'est probablement pour ça qu'elle se terre.

— Par désespoir ?

— Mais, non, Pat, rassure-toi, par prudence. Elle préfère garder ça pour elle et ne pas s'exposer à nos remontrances, des fois qu'elle aurait décidé d'aller consulter ailleurs. La connaissant, c'est très probablement le cas, non ?

— Si. Et ça m'inquiète énormément. Je passerais bien chez elle ce soir ou demain, mais j'ai peur de tomber sur Charles et comme il n'est au courant de rien...

— Enfin, Patricia, c'est pas possible. Tu ne peux pas cacher les suites d'une opération pareille. T'as le visage enflé façon citrouille, les yeux au beurre noir, la...

— Où tu as la tête, voyons, sœurette ? Tu sais bien que la dernière fois, elle est venue se cacher chez moi au sortir de la clinique en disant à Charles qu'elle allait passer trois semaines à la Martinique avec son amie Martine.

— Ah, oui, c'est vrai, j'avais complètement oublié. Alors, qu'est-ce qu'on fait ?

— Tu l'appelles sur son portable et tu laisses un message pour lui dire qu'au journal, on t'a parlé d'un nouveau truc, genre Botox, tu vois, et qu'il faut absolument qu'on déjeune ensemble toutes les trois pour en discuter.

— Bon, d'accord, je peux toujours essayer.

— Ça va la faire sortir de son trou de

souris vite fait, la pauvre chérie, mais quand même, ce Charles, quel enfoiré !

— Qu'est-ce que tu racontes ? Il est très gentil avec elle, très patient, très indulgent.

— Oui, mais pour de mauvaises raisons, tu sais bien, les raisons qui l'ont attiré vers elle dans le temps. C'est pour ça qu'elle s'échine à ne pas vieillir, à rester...

— Alors là, Pat, excuse-moi, mais, c'est pas pour lui, pas du tout, c'est pour elle. Sa beauté, sa jeunesse c'était sa joie, sa raison de vivre. Y renoncer, ce serait se laisser mourir. Tu veux que je te dise, elle n'a jamais aimé qu'une seule personne au monde, maman : Mady Derly. Telle qu'en elle-même le temps ne peut pas la changer.

— Oui, bon, ça va, je sais, et c'est bien pour ça que je me fais du souci.

— Allô, chérie, c'est Pat. Ecoute, faut que je te dise, Jean-Bernard vient de m'appeler au sujet de Mérieux.

— Qu'est-ce que tu racontes ? Il n'est au courant de rien. A moins que tu...

— Enfin, Lisa, ça va pas la tête ! Tu me vois lui expliquer que si tu sors aussi souvent c'est parce que tu as un amant. Seulement voilà, il commence à se poser des questions — Axelle aussi — et elles le minent.

— Je ne comprends pas, j'ai toujours des alibis béton, pas faciles à trouver, crois-moi, pas évidents, mais bon, pour le moment, ça passe.

— Ou ça casse. La preuve.

— Qu'est-ce que tu lui as dit ?

— Que je n'étais au courant de rien.

Que ça m'étonnerait beaucoup. Que c'était pas ton genre. Que tu étais très attachée à lui. Que... Enfin tu vois.

— Je vois que je suis dans la merde, oui.

— Pourquoi ? Ne me dis pas que c'est sérieux, cette histoire avec ce drogué à la drague ? Comment est-ce que tu as pu céder à son baratin style Harlequin collection Blouses blanches ?

— Je lui plais, il me plaît, on se plaît donc on se voit, voilà tout.

— Chez lui ?

— Evidemment. Tu ne voudrais quand même pas que je le ramène chez moi ! Mais ça n'arrive pas bien souvent, pas assez à mon goût. Il est très pris. Dommage parce qu'il me fait un bien fou. C'est un homme, un vrai, pas comme ce vieux petit garçon de JB qui ne m'apporte plus rien.

— Enfin, Lisa, sois raisonnable. Jamais Mérieux ne se laissera prendre au piège d'une relation exclusive et durable.

— Qu'est-ce que tu en sais ? Tu ne le connais même pas.

— Tu as raison, c'est pas à moi de juger, mais en attendant, sauf à vouloir te séparer de JB, tu as intérêt à faire gaffe.

— Oui, bon, d'accord. Mais ça fait

quand même dix-sept ans qu'on est ensemble et j'ai besoin de prendre un peu l'air là, maintenant, de sortir de ce huis clos à trois avec Axelle. J'ai l'impression d'être une mère célibataire ligotée par deux ados qui s'entendent comme chien et chat. C'est bien simple, les seuls moments où ils ne se chamaillent pas, c'est quand ils se liguent contre moi : D'où tu viens ? Où tu vas ?

— Remarque, ta situation ne doit pas déplaire à Mérieux.

— Comment ça ?

— Ben, le fait que tu sois prise le dispense de s'engager plus avant. Et c'est tout bénef.

— Attends, tu ne vas pas recommencer, Patricia ! Est-ce que je te tanne, moi, au sujet de tes mecs ?

— Manquerait plus que ça ! Je suis entièrement libre de coucher avec qui je veux. Pas toi, à partir du moment où ta vie amoureuse nous implique maman et moi.

— Maman ? Il en a parlé à maman ?

— Non, pas encore, mais comme il est parti, je le vois très bien décrocher son téléphone en pleurnichant : Elle est pas gentille avec moi, Lisa, elle fait que de m'embêter et quand elle sort, elle veut pas m'emmener, faut que je reste à la maison avec Axelle.

— Pauvre chéri, je l'entends d'ici. A propos, comment tu l'as trouvée, Mady, la dernière fois qu'on s'est vues. Pas terrible, hein ?

— Elle est en train de nous faire une grosse déprime, oui. D'autant que... Tu es au courant pour Charles ?

— Non. C'est quoi ?

— C'est exactement pareil que toi. Il en a marre de la voir triste, taciturne, ravagée par ses complexes et comme s'il voulait justifier son angoisse, il va voir ailleurs. Quasi ouvertement. Sans même se donner la peine de trouver un prétexte à ses fugues. Du moins, c'est ce qu'elle me dit.

— Alors, là, c'est la cata ! Ecoute, Patricia, faut qu'on se ressaisisse, nous deux. Par rapport à maman. Faut arrêter de lui passer tous ses caprices. Faut lui expliquer ce que sa conduite a de suicidaire. Suffirait peut-être qu'elle montre un visage plus souriant, plus gai, plus aimant pour que Charles lui revienne. Contrairement à toi, je suis persuadée qu'il tient à elle.

— Si c'était le cas, il serait touché par

son désespoir et il essaierait de l'alléger au lieu de tout faire pour l'aggraver. De toute façon, dans l'état où elle est, réussir à convaincre Mady de faire bonne figure au lieu de faire grise mine devant Charles, c'est mission impossible.

— Alors ?

— Alors, j'ai bien ma petite idée mais, pour le moment, je préfère la garder pour moi.

C'est un personnage, Charles. Un producteur à l'ancienne. Il aime la bonne chère, les copains, les sorties. Il déteste les scènes, les prises de tête, les bouderies et il promène avec une autorité joviale, décontractée, une corpulence un rien débraillée bien qu'habillée sur mesure dans des tissus de prix. La soixantaine alerte, les cheveux d'un blanc un peu jauni, le ventre rebondi, il a un côté gros nounours corrigé par un regard au laser enfoui sous la broussaille des sourcils. Juif immigré, son fort accent d'Europe centrale évoque le Hollywood des années Goldwyn et Mayer avec tout ce que ça comporte d'esprit pionnier, audacieux, tape-à-l'œil, et prodigue et près de ses sous.

Quand il a flashé sur Mady d'abord en la

voyant, ébloui, à l'écran puis bien plus tard à une table amie un soir au restaurant, elle était restée seule, avec deux filles déjà grandes, désemparée, encore fragilisée par la mort brutale de son premier mari. Touché, à nouveau conquis, il lui a ouvert les bras et elle s'y est réfugiée, lovée, nichée comme une petite chienne perdue, éperdue de reconnaissance amoureuse. Amoureuse de l'amour rassurant, protecteur qu'il éprouvait pour elle.

De leur côté, Pat et Lisa suivaient cette histoire inespérée d'un œil soulagé encore qu'un peu méfiant. Combien de temps le dynamisme optimiste, généreux, extraverti d'un Charles s'accommoderait-il de l'égocentrisme inquiet, ombrageux, tatillon d'une Mady entièrement vrillée sur elle-même ? Elles la lui avaient confiée comme on met sa gamine en pension, soupçonneuses, promptes à le prendre en défaut et, le cas échéant, à voler au secours de leur mère-enfant.

Mais bon, jusque-là, pas de problème. Tout à ses affaires et à ses potes, Charles s'était accommodé du caractère obsessionnel de sa femme, un caractère qui lui était tellement étranger qu'il s'en apercevait à peine. Comment aurait-il d'ailleurs pu imaginer que sa petite beauté tant attendue, tant désirée, pouvait se croire trop vieille pour lui ? D'autant qu'elle se gardait bien d'insister là-dessus, des fois, sait-on jamais, qu'il ne s'en serait pas aperçu !

Et puis, là, changement à vue. Charles a pris le large et Mady a perdu pied. Complètement paniquée, partagée entre le « Je vous l'avais bien dit » et le « Comment est-ce Dieu possible ? », après avoir ventilé un temps ses peurs, ses doutes devant une Patricia déjà passablement inquiète, voilà qu'elle se ferme à présent, se mure, obstinée, dans le silence lourd, glauque de qui a sombré trop profond pour appeler au secours, saisir la main tendue et tenter de s'en sortir.

Pat et Lisa sont trop proches pour ne pas partager l'amitié de l'une pour Salomé, de l'autre pour Vivi. Vous ne voyez pas très bien en quoi une petite nana aussi fofolle, aussi tête en l'air que Sal peut plaire à cet être de volonté et de raison qu'est Patricia ? C'est ça justement, c'est la loi des contraires. Mais pas seulement. Elles font preuve toutes deux, chacune à sa manière, d'une totale indifférence à ce qui se fait ou pas. Le côté « borderline » de Salomé : pourquoi-je-devrais-choisir-entre-un-bon-gueuleton-et-un-un-petit-coup-de-bistouri sidère Pat tout en l'autorisant à sermonner sa copine. Et la rigueur sans faille de cette infatigable donneuse de leçons, loin de lui peser, fournit un point de repère à une Salomé guidée par un seul principe, celui de son bon plaisir.

Avec Vivi, une collègue de Lisa, les rapports sont moins détendus, mais suffisamment gratifiants pour les réunir toutes les quatre à l'occasion d'un dîner de filles au Grand Comptoir, leur brasserie préférée.

Ce soir, Vivi est en retard. Quand elle débarque enfin, les trois autres la regardent sidérées. Elle a caché ses nouvelles formes sous un vieux pantalon baggy, elle a des étoiles dans les yeux et à peine assise :

— Vous ne devinerez jamais ce qui m'arrive. T'avais raison, Lisa, Julien est revenu.

— J'en étais sûre.

— Et vous avez repris la vie commune, lui, toi et ton postérieur ?

— Attends, Salomé, que je vous raconte. Vendredi en fin d'après-midi, je prenais un café au bar d'un bistro où on avait l'habitude de se retrouver. Il entre. Il me voit de dos. Sans me reconnaître, il s'approche, attiré par ce beau petit cul bien moulé dans un jean. Je me retourne. Stupeur de sa part : « C'est toi ? C'est lui ? Ça alors ! Et tu peux t'asseoir dessus ? Mais c'est génial ! » On est rentrés chez moi tous les trois, lui, mon cul et moi. Et voilà.

— Moi, à ta place, je l'aurais envoyé péter, ton Julien. Il est nul, ce mec. Il te quitte sous prétexte que ton popotin n'est pas sortable et il te revient maintenant qu'il l'est, c'est ça ?

— Fous-lui la paix, tu veux, Patricia ? Tu gâches tout. Elle était sur un petit nuage quand elle est arrivée et regarde-la maintenant. Elle ne sait plus où se mettre. On dirait un chaton pris sous une averse.

— Au fond, t'as raison, sœurette, de quoi je me mêle ? Dis donc, Lisa, c'est pas pour te faire de la peine, mais j'ai lu quelque part que toutes ces crèmes hydratantes, rajeunissantes, tonifiantes, antirides et je ne sais quoi dont vous vantez les mérites à longueur de colonne relevaient de l'arnaque.

— Qu'est-ce que tu racontes, Pat ?

— La vérité. *Que choisir* les a mises à l'essai il n'y a pas si longtemps. Conclusion : la meilleure et la moins chère, c'est Nivea. Elle coûte trois francs six sous, alors que dans ton dernier numéro vous vous extasiez sur les vertus d'une crème au caviar, à la gelée royale et aux pépins de raisin à 250 euros le pot.

— Je te demande bien pardon, il y en a

deux ou trois, c'est tout nouveau, des crèmes amincissantes, bouffeuses de cellulite qui tiennent parfaitement leurs promesses. Et même si ce n'était pas le cas, il ferait beau voir qu'on arrête d'informer nos lectrices sur les nouveaux produits de beauté lancés par les grandes marques, sous prétexte qu'elles n'ont qu'à se tartiner à la Nivea pour obtenir le même résultat.

— Ce serait plus honnête, non ?

— Ce serait suicidaire, oui. Si tu supprimes les pages beauté dans un grand magazine féminin, t'as plus qu'à fermer boutique. Remarque à l'heure du Botox, les crèmes, les femmes y croient de moins en moins... Mais, bon, c'est comme pour les régimes minceur. On en propose un tous les mois. Libre à chacune de le suivre ou pas.

— Moi, les régimes, j'adore ça. Je les dévore. Mais, bon, ça s'arrête là. Déjà qu'on n'a plus le droit à rien, fumer, boire, baiser sans capote et le reste, s'il fallait en plus se priver de bouffer, il n'y aurait plus qu'à se laisser mourir.

— Pas de faim toujours, en ce qui te concerne, hein, Sal ?

— Bon, ça va, Pat ! Si on parlait d'autre chose ?

— Moi, je ne demande pas mieux, mais de quoi ? De l'ISF ? Du tiers provisionnel ? Des abattements, tout ça ? Parce que moi, sortie de là...

— Ah non, chérie, pitié ! On leur dit, Vivi ?

— Non, mais ça va pas ? Elles vont toutes me tomber sur le râble et j'en entendrai jamais la fin.

— On ne dira rien, promis, juré. Allez, vas-y, Vivi, accouche.

— Alors là, t'as tapé dans le mille, Pat. Je veux un bébé. Et Julien n'est pas contre.

— Tu plaisantes ou quoi... Enfin, je veux dire, c'est sérieux ?

— Oui, très. J'y pensais déjà depuis un bon moment. Je me demande même si mes fesses n'ont pas servi de dérivatif à ce bébé que je désirais sans oser me l'avouer.

— Quelle époque ! Se faire remodeler le corps de nos jours, c'est moins compliqué et à la limite plus naturel que d'avoir des enfants. Insensé, non ?

Ça, oui ! Comment en sommes-nous arrivées à nous plier — au prix de combien et de quels sacrifices ! — à cette tyrannie féroce, implacable d'une beauté sur papier glacé, beauté quasi virtuelle encore idéalisée par la magie de l'informatique qui allonge les jambes, efface les cernes, affine les bras et creuse les ventres ? Non, parce que ça, il faut le savoir, seules 2 pour cent des femmes dans le monde ont les mensurations d'un top model. Elles pèsent de 15 à 18 kilos de moins que la moyenne. Allez vous étonner après ça de voir 86 pour cent des nanas lambda détester leur corps et ne se nourrir que de complexes.

Et cela dès l'adolescence, nous l'avons vu. A vingt-cinq ans, des milliers de jeunes filles ont suivi au moins autant de régimes amaigrissants que leurs mères à cinquante. Normal, ils s'étalent semaine après semaine (comminatoires : perdez 5 kilos en huit jours, et, menaçants : sinon pas question de vous montrer sur une plage) à la devanture des kiosques, alors que, matraquées par les conseils des innombrables nutritionnistes qui se hissent sans peine dans les listes de best-sellers, la plupart des femmes font déjà très attention à ce qu'elles mettent dans leur assiette.

L'ancienne « beauty victim » que je suis a passé sa vie à se priver à table et à se martyriser en salle. Le gras, le sucre, toujours trop. La gym, la marche, jamais assez. Je n'ai abandonné que dans ma soixante-dix-septième année. Ras-le-bol ! J'étais fine et mince. Je me retrouve boulotte et tassée, mais bon, tant pis. Ou plutôt tant mieux. Me voilà enfin libérée, sous couvert de mon grand âge, de cette surveillance de chaque instant, de cette soumission aux diktats de la mode en matière de séduction.

Séduire qui au demeurant ? Les mecs ? Pas vraiment. Dans l'ensemble, ils préfèrent les bien en chair aux sacs d'os. Mais, bon, ça, à la limite, on s'en moque. Ce que nous voulons par-dessus tout, ça tourne souvent à l'obsession, c'est nous plaire à nous-même et répondre aux critères d'une mode irréversible, j'en suis persuadée, la mode du mince, du ferme, du lisse, du jeune et du musclé.

A noter que tous les trois ou quatre ans, la presse féminine, prise de pitié, tente de remonter le moral de ses troupes en leur annonçant, photos de vedettes à l'appui, celle de Laetitia Casta hier, celle de Jennifer Lopez aujourd'hui, que la maigreur, fini, ça, terminé. Il n'y en a plus que pour les rondes. Une poitrine opulente, un derrière rebondi, rien de plus sexy.

Inutile de vous réjouir, c'est un leurre, un court répit dans la longue et pénible quête d'un inaccessible Graal : ressembler à un modèle trop prégnant pour être ignoré longtemps. Vous ne pouvez pas ouvrir la télé, feuilleter un magazine ou sortir dans la rue sans être narguée par les adorables petits seins retroussés et les jolis petits culs haut perchés qui s'étalent à longueur d'écran, de page ou d'affiche.

Lisa commence à en avoir gros sur le cœur. Son Marc est de moins en moins présent, de plus en plus évasif. Loin de saisir toutes les occasions de la retrouver, il les espace, c'est clair. Au point même qu'après dix jours de silence, pas un appel sur son portable, ses messages laissés sans réponse, n'y tenant plus, elle est passée le voir à l'improviste, sous un prétexte quelconque, à l'hôpital. A peine si elle a pu entrevoir au milieu d'un essaim de blouses blanches son calot vert s'éloignant d'un pas pressé le long d'un couloir. Hésitante, elle allait poursuivre le cortège quand elle s'est fait apostropher par une grosse Antillaise poussant un chariot de linge :

— Madame, vous désirez ? Parler à monsieur Mérieux ? Vous avez un rendez-vous ?

Non ? Alors allez en demander un à son secrétariat. Mais, bon, là, maintenant il n'y a plus personne. Faut téléphoner ou repasser demain. Avant 17 heures.

Confuse, vaguement intimidée, elle est repartie aussitôt sans oser se targuer de leur amitié. Au fond, ça valait peut-être mieux comme ça. Il n'aurait pas tellement apprécié, elle s'en rendait compte maintenant, de la voir le pourchasser jusque dans la salle d'opération. Mais si ça avait été le cas, elle aurait pu au moins s'expliquer son inexplicable silence.

Inexplicable, vraiment ? Allons, ma fille, arrête de te raconter des histoires. S'il ne veut pas te voir c'est parce qu'il voit quelqu'un d'autre, une reine de beauté rencontrée à sa consultation, une interne masquée jusqu'aux yeux qui l'a foudroyé du regard pendant une opération, bref une nouvelle proie. Plausible, non ? Et même probable, tu ne crois pas ? Non, ça, je peux pas. Ce serait trop dur à vivre. Trop dur pourquoi ? Ne me dis pas que tu en es intoxiquée au point de ne plus pouvoir t'en passer. Réfléchis, ce n'est pas tellement lui que tu crains d'avoir perdu, c'est ton pouvoir de séduction. Moi ? Pas du tout. De ce côté-là, ça va. Je me plais encore assez. Pas de souci.

N'empêche que dès le lendemain, apercevant Lisa à la cantine, le nez baissé sur son plateau, jouant distraitement de la fourchette avec sa salade verte, Vivi est venue s'asseoir à côté d'elle.

— Ben, qu'est-ce qu'il y a, ma puce ? T'as un problème ou quoi ?

— Non, pas vraiment, enfin si. Dis-moi franchement, est-ce que tu me trouves changée ?

— Ça, oui ! T'étais rieuse, insouciante, te voilà chargée de tous les malheurs de la terre. Tu t'es fait engueuler par la rédac chef, c'est ça ?

— Non, je me pose des questions, c'est tout.

— Sur quoi ?

— Sur mes pattes-d'oie.

— Tu plaisantes ?

— Regarde, là et ici...

— Je vois rien. T'es fraîche comme une rose.

— Une rose un peu fanée, oui.

— Non, mais ça va pas ! Enfin, Lisa, ne me dis pas que tu es en train de céder au terrorisme ambiant. Pas ça, pas toi. Pas...

Bon, moi, il y a longtemps que c'est fait, mais j'avais de bonnes raisons... Tu parais dix ans de moins que ton âge, alors ne commence pas à me parler de Botox ou de je ne sais quoi. Franchement, chérie, ce serait de la folie. D'ailleurs si tu tentes quoi que ce soit, j'appelle ta sœur. Et alors, là, elle va te la faire, la peau, crois-moi !

— Non, non, je t'en supplie. Tu lui dis rien, promis ? C'est un coup de blues, ça va passer. Et toi, où t'en es côté bébé ?

— Nulle part. Je commence à me demander si je peux en avoir.

— Attends ! Ça fait à peine deux mois que tu essaies.

— Je sais bien, mais j'en ai quand même parlé à Fred. Elle prépare tout un dossier sur la stérilité, ses causes, ses remèdes et...

— Encore ! Mais elle en a sorti un pas plus tard que...

— Et alors ? Avec la grossesse, l'obésité, le cancer du sein et la ménopause, c'est un des seuls problèmes de santé qui intéresse une majorité de femmes. Faut bien qu'on l'évoque à temps réguliers dans nos pages.

— Oui, bon, OK, mais ça ne te concerne pas. Pas encore, alors arrête de te mettre martel en tête. Parle-moi plutôt de Julien. Il est toujours aussi amoureux de tes fesses ?

— Non, pas vraiment. Elles ont perdu l'attrait de la nouveauté et c'est à peine s'il y met la main, comme ça en passant. Et ton mec, toujours aussi gamin ?

— Un gamin plutôt pénible en ce moment. Il est irascible, il me répond ou alors il boude. Il s'est même éloigné de sa sœur, enfin, je veux dire de sa fille. Avant il n'arrêtait pas de l'emmerder, à présent il l'ignore.

— Ça, fallait t'y attendre. Normal, la crise de l'adolescence à son âge.

C'est un peu ça, c'est vrai. Désemparé, inquiet, jaloux, au début, Jean-Bernard se comportait en petit garçon furieux de voir Lisa sortir sans lui sous tous les prétextes. Et, loin de s'apaiser, depuis qu'elle traîne son ennui, son cafard, de soir en soir entre la chambre et le living, son angoisse se nourrit de celle — palpable — de sa femme. Une femme méconnaissable, triste, soucieuse, indifférente. Une femme imprévisible qui refuse par moments de se laisser engloutir par le doute, s'ébroue et leur revient à lui et à leur fille en frétillant, tout étonnée par leur silence, un silence lourd de reproches.

A peine s'ils se parlent, Axelle et lui. Ils se croisent, sans se heurter, sur la scène de ce théâtre d'ombres qu'est devenue la maisonnée, ayant renoncé à ces prises de bec continuelles, à ce jeu de rôle qui les stimulait, les amusait tant qu'ils avaient un public. Mais bon, quel intérêt devant une salle vide ?

— Qu'est-ce qu'il y a, vous ne vous chamaillez plus ? Vous êtes brouillés ou quoi ? Ça tombe mal parce que je voulais qu'on aille dîner sushis tous les trois.

— Tiens, c'est nouveau ! Depuis quand est-ce que tu aimes ça ?

— Depuis longtemps. C'est bon, c'est léger, c'est...

— C'est pas toi. Et c'est pas nous. Nous, rayon exotique, on a toujours été plutôt tex-mex, non ?

— Si vous voulez, du moment qu'on fait la fête.

— Oui, ben, sans moi. Les tacos, les haricots rouges, tout ça, berk ! Je préfère manger une pizza en regardant la télé. *Sex and the City*. Vas-y, toi, JB, va dîner avec maman, c'est de ton âge.

— Quoi, mon âge ?

— Ah ! Parce que t'as pas encore l'âge de sortir avec maman ? Ça c'est pas mal, vu que t'es beaucoup plus vieux qu'elle.

— Arrête avec ça, tu veux, Axelle ? Arrête tout de suite !

— Ben, voilà, je vous retrouve. Allez, chérie, viens avec nous, ce serait dommage d'interrompre votre petite scène de ménage.

— Non, désolée ! A vous de jouer. Ça vous ferait le plus grand bien. Rien de tel qu'une bonne engueulade pour se réconcilier.

— Mais on n'est pas fâchés, pas vrai, JB ? Et puis avec moi, ton père ne saurait pas y faire. Sa partenaire, c'est toi. Alors tu vas être gentille et lui balancer ta réplique. Tu veux que je te la souffle : « Et pourquoi j'arrêterais, tu peux me dire ? J'ai pas d'ordres à recevoir d'un pauvre mec même pas cap de dîner en tête à tête avec sa femme. »

— Attends, Lisa, moi je ne demandais pas mieux, c'est toi qui veux pas.

— Moi ?

— Parfaitement. Sinon t'aurais pas tellement insisté pour qu'Axelle vienne avec nous.

— Et alors, ça te gêne ? Tu ne supportes plus la présence de ta fille, c'est ça ?

— Ce que je ne supporte plus c'est ton

attitude, ta conduite. Tu me pourris la vie, si tu veux savoir.

— Bravo ! Vous y êtes, là. Haussez un peu le ton et ce sera parfait. Mais, sans vouloir vous commander, vous feriez peut-être mieux d'éviter le restaurant. Ça risque de vous bloquer et comme c'est parti ce serait vraiment dommage. C'est à toi, maman : « Quoi, ma conduite ? Tu sais ce qu'elle te dit, ma conduite ? »

— Elle me dit merde, c'est ça ? Alors, là, tu ne manques pas d'air !

— Si, justement, tu me le pompes, l'air, JB, et ça ne date pas d'hier. Tu ne vis pas avec moi, tu vis chez moi. Je suis le dernier de tes soucis. Tu ne penses qu'à toi, à ton allure, à l'impression que tu donnes, à...

— Bon, je vous laisse. Je vais regarder la télé dans ma chambre. Continuez comme ça, c'est parfait. Mais n'allez pas trop loin quand même. Les disputes, c'est très sain à condition de savoir les arrêter avant d'atteindre le point de rupture.

Marc Mérieux s'est manifesté. Il a invité — convoqué plutôt — Lisa à passer le voir chez lui en fin de soirée. Il est débordé et ne pourra pas se libérer avant 10 heures du soir. A en juger par le ton de sa voix au téléphone, bref, agacé, c'était à prendre ou à laisser. Elle a pris, curieuse de connaître les raisons de son long silence, et bien décidée à le mettre à l'épreuve. Quand elle est arrivée, après avoir dit à son mari qu'elle dînait avec Mady, il n'était pas encore rentré. Et quand il s'est pointé elle a eu l'impression qu'il ne tenait pas tellement à la trouver sur son paillasson.

Il lui a offert un jus de tomate et s'est versé un whisky avant de s'affaler sur le canapé du salon l'air contrarié, le regard ailleurs.

— Je vous demande pardon, mais je suis complètement vidé, là. Et débecté. A ma consultation aujourd'hui je n'ai vu passer que des cas irrécupérables, des seins qui ne ressemblent plus à rien, des ventres mal cicatrisés, bousillés par des bouchers qui laissent leurs clientes les tripes à l'air sans même se retourner.

— N'y pensez plus. Parlez-moi plutôt des vacances de Pâques. Où comptez-vous aller ?

— Quelles vacances ? Je ne suis pas prof, moi, je suis chirurgien. Avec un peu de chance j'irai passer le week-end chez moi en Bretagne. Une maison de famille. Ma sœur y sera et je ferai un peu de bateau avec mes neveux. Et vous ?

— Je n'avais rien prévu. Je pensais qu'on aurait pu...

— Alors là, ma petite chérie, je vous arrête tout de suite. Je n'en suis pas encore là, je n'ai d'ailleurs jamais été au stade du « on ». Si vous voulez que nous continuions à nous voir... Voyons, ne faites pas cette tête-là, rassurez-vous, je ne demande pas mieux. Mais en toute liberté et dans la mesure de nos disponibilités. Allez, viens là, ma Lisa, viens dans mes bras, viens que j'efface cette moue dépitée.

— Dépitée, moi ? Pas du tout. Si je vous ai parlé de ces vacances...

— N'en parle plus et embrasse-moi... Mieux que ça... Ben, qu'est-ce qu'il y a ?

Il y a qu'elle n'en a plus aucune envie, c'est aussi bête que ça. Contrairement à sa sœur, elle a besoin d'un semblant d'attachement pour s'ouvrir au désir de l'autre. Au début de leur relation, emporté par son besoin de conquête, Mérieux se montrait suffisamment séduit, empressé, pour lui donner l'illusion d'un sentiment partagé. A présent, il se lâche. Plus besoin de se mettre en frais. Ni même de lui faire signe pendant dix jours. Encore moins de se creuser la cervelle pour trouver un prétexte à son éloignement. Pourquoi faire d'ailleurs ? Suffit qu'il la sonne pour qu'elle rapplique ventre à terre, trop contente de se faire sauter par le maître.

Non mais, pour qui il la prend ? Partagée entre la honte et le dépit — comment a-t-elle pu se leurrer et s'abaisser à ce point — Lisa se dégage, remet son manteau et se dirige vers la porte sans qu'il cherche à la retenir, l'air de dire : « Tu t'en vas ?

Bon débarras ! » Elle était encore sur le palier qu'elle l'a entendu répondre au téléphone. « Allô, oui ? Non, t'es bien mignonne, mais il est tard là et j'opère demain matin. Mercredi ? Je ne sais pas. Je te rappellerai. Oui, c'est ça. Moi aussi. »

Quand Lisa est rentrée chez elle, le cœur léger, enfin libre de cet attachement imbécile et dégradant, JB pianotait sur son ordinateur :

— Tu fais quoi, là ?

— Je t'attendais. Si on reprenait notre engueulade de l'autre soir ? J'ai pas fini de vider mon sac.

— Vas-y, alors, mon chéri, déballe tout. Mais moi, ça y est là, je n'ai plus rien à te reprocher. Au contraire.

— Ça va pas, ça ! La querelle va tourner à l'algarade et c'est pas du jeu.

— Qu'est-ce que tu dirais de faire l'impasse sur tes griefs ? Ça nous permettrait de nous réconcilier et ça ferait gagner du temps.

— Là, maintenant, tout de suite ?

— On peut remettre à demain si tu préfères, mais je ne vois pas l'intérêt.

— Moi non plus, en fait, mais...

— Bon, alors, viens te coucher.

— A quoi tu penses, là, Lisa ? A une réconciliation sur l'oreiller, c'est ça ? Remarque, c'est la règle. Et je tiens à la respecter jusqu'au bout. On a une bouteille de champagne au frais, on l'emporte avec nous, histoire d'arroser ça.

— Avant ou après ?

— Avant, pendant et après. Faut y mettre les formes, non ?

— Allô, Pat ? C'est Lisa. Tu ne devineras jamais ce qui m'arrive. Je suis guérie.

— Comment ça ? T'étais malade ?

— Non. Enfin si, malade de la tête. Mérieux me faisait tourner chèvre. Les jours avec, ça allait encore à peu près, mais, alors, les jours sans — et il y en avait de plus en plus — je sombrais dans les affres du doute, de la jalousie. J'étais bourrée de complexes et de tranquillisants. L'enfer, quoi !

— Pourquoi tu m'as rien dit ? Enfin, c'est insensé !

— J'avais peur de ta réaction. Peur de me faire engueuler. Remarque, tu aurais eu raison. J'ai rompu et je me sens revivre.

— T'es trop conne aussi ! Tomber

amoureuse de ce taré... Comment t'as pu ? En plus je t'avais prévenue.

— Oui, je sais, mais, bon, ça m'a servi de leçon. Et ça m'a permis de me mettre à la place de maman. Ecoute, Pat, on ne peut pas la laisser comme ça, la pauvre chérie. Manquer de confiance en soi à ce point-là, c'est un truc à devenir fou, j'en sais quelque chose.

— C'était quoi, tes complexes ? Trop tapée, trop empâtée, c'est ça ? La routine, quoi. Ce qui me frappe avec Mady, c'est qu'elle est entièrement fixée sur ses rides et totalement indifférente à ses bourrelets. Et Dieu sait si elle en a !

— Normal, pour une ancienne femme-tronc. On ne voyait que son visage. Sa silhouette...

— Oui, ben, justement. Elle n'a pas encore compris que ce qui la vieillit, c'est aussi, c'est surtout ça, une silhouette tassée, replète, avec des seins en forme de melon posés sur un ventre de six mois.

— Là, tu exagères, mais, bon, il y a du vrai. Si on arrivait à la persuader de se remettre en forme avant de...

— Au lieu de, tu veux dire.

— Là, faut pas rêver, Pat. N'empêche,

c'est peut-être la solution. L'adresser à un chirurgien qui lui ordonne de maigrir et de se raffermir avant d'entreprendre quoi que ce soit.

— Mérieux ? Ah, non, j'oubliais, plus question. Tu ne vas pas risquer de nous faire une rechute en renouant avec lui sous prétexte de venir en aide à ta mère.

— Alors, fais-le, toi, Patricia. Je lui ai souvent parlé de toi. Il sait très bien qui tu es. Et il y regardera à deux fois avant d'essayer de t'accrocher à son tableau de chasse.

— Ça, oui, de ce côté-là, pas de danger. Comment je fais pour le joindre ?

— Tu appelles son service, tu demandes un rendez-vous, voilà tout.

Quand, huit jours plus tard, Mérieux a vu débarquer dans son bureau cette grande fille tout en jambes, maigre et bronzée, sans trace de maquillage, la crinière fauve aux épaules et le sac en bandoulière, d'une élégance naturelle à tomber par terre... Il est tombé. Tombé raide amoureux d'une Pat totalement inconsciente de l'effet qu'elle produisait sur ce bourreau des cœurs, objet de tout son mépris et de toute sa rancœur rapport à sa petite sœur.

Elle lui a expliqué ce qu'elle attendait de lui sur le ton dégagé, sans réplique de la cliente qui passe commande à son épicier, en se gardant bien de lui parler de Lisa. Et loin de s'en offusquer, conquis, décontenancé par sa désinvolture et son évidente absence d'admiration pour un grand patron habitué à plus de respect, il a accepté sans discussion d'obéir à ses instructions.

En la raccompagnant jusqu'à la porte de l'ascenseur, sans voix, sans réaction, un vrai zombi, il a quand même retrouvé assez de présence d'esprit pour lui demander si elle accompagnerait sa mère à sa consultation. Non, bien sûr, ce n'était pas une enfant. Mais elle l'appellerait pour savoir comment ça s'était passé.

Quand ils se sont rencontrés, ces deux-là, Jean-Bernard avait trente ans et Lisa vingt-deux, il avait déjà ouvert son agence de pub, elle passait un Deug en psychologie, il était hyperbeau, un grand blond avec une queue-de-cheval et des épaules de déménageur, elle très jolie, une petite brune aux yeux bleus toute fine, toute menue, ça a été un éblouissement. A dîner d'abord dans un bistro branché où il avait ses habitudes, chez lui ensuite, d'où elle n'est repartie que le surlendemain pour y retourner le soir même. Six mois plus tard, ils étaient mariés, tellement amoureux l'un de l'autre que l'arrivée d'Axelle, une ravissante petite crevette, au lieu de les séparer, les avait encore rapprochés. Il avait un sens de l'humour décapant et ça la faisait rire. Elle était restée très gamine et ça l'attendrissait.

Là où les choses se sont, je ne dirai pas gâtées, mais un peu compliquées, c'est quand elle a commencé à gagner sa vie, à s'investir dans son travail et à atteindre d'emblée une maturité qu'il a toujours refusée, désireux qu'il était, qu'il est encore, de rester au diapason de sa cible, celle de la plupart de ses compagnes, les jeunes de moins de vingt-cinq ans. A trente-cinq ans, pas de problème. A quarante-cinq, gros problème. Le front dégarni, ses longs cheveux gris noués en queue-de-cheval, ridé, pas très, mais quand même, il s'est fossilisé dans une attitude, une image inexorablement datées par son âge.

Absorbée par son job, sécurisée par le succès croissant de ce créatif virtuose du slogan qui fait mouche, épanouie par leur entente attentive et complice au lit, Lisa avait laissé à Axelle cet os qu'elle ne se lassait pas de mordiller, sans songer à intervenir. Etiqueté « éternel ado », JB était devenu un sujet de plaisanterie indulgente, attendrie entre copines et ça s'arrêtait là. Jusqu'au jour où l'affaire Mérieux, conséquence directe de ce qui ne collait pas avec son JB sans oser se l'avouer, allait l'inciter à y mettre bon ordre.

Oui, mais comment s'y prendre sans le vexer à mort, sans risquer de le perdre ? Comment savoir si ce rôle de vieux jeune ne lui collait pas à la peau au point d'en être devenu une seconde nature ?

— Qu'est-ce que tu en penses, dis voir, ma chérie.

— J'en sais rien, moi, maman. C'est ta faute aussi. Tu l'as laissé me pourrir la vie sous tes yeux et tu n'es jamais intervenue. Comme si tu ne voulais pas te mêler des rapports entre frère et sœur. Tu l'as encouragé en le traitant en enfant. Remarque depuis quelque temps, on ne se dispute plus comme avant. Il est plus cool, moins jaloux de mes copains. Il a peut-être mûri, va savoir.

— Justement, comment savoir ?

— Tu pourrais lui proposer de l'emmener dans une nouvelle boîte hyperbranchée seventies, costard-cravate exigé, par exemple.

— Il n'en a pas.

— Il peut en louer un, non ?

— Et la chemise qui va avec ? Un smoking, je veux bien, pas un costume prêt-à-porter, voyons, ma puce.

— Alors, tu insistes pour qu'il l'achète, quitte à le faire à sa place si ça lui fait trop honte. Et t'en profites pour lui parler de son look sans l'attaquer de front, mais en lui suggérant d'en changer de temps en temps.

— Tu as peut-être raison.

— Dis donc, si je ne suis pas trop jeune pour te donner un bon conseil, je ne le suis pas non plus pour qu'en échange tu m'offres des vrais seins, je te signale. Tiens, à propos, il y a ton amie Rosalie qui a appelé. Elle veut te montrer les siens.

C'est qui Rosalie ? Tiens, c'est vrai, je ne vous en ai pas encore parlé. C'est une amie d'enfance de Lisa perdue de vue depuis longtemps et retrouvée par hasard à la rédaction de *Belle Belle Belle* où elle avait rendez-vous pour déjeuner avec Vivi, une vieille copine. On ne peut pas dire qu'elles soient très proches, ces deux-là, mais, bon, elles se voient tous les trois, quatre mois, se chipotent, s'agacent, s'envoient des piques, se demandent ce qu'elles font ensemble et se rappellent pour se voir, se chipoter, s'agacer, s'envoyer des piques et se promettre que c'est bien la dernière fois.

Le jour de leur rencontre, Lisa, ignorant tout de ces rapports conflictuels, n'aurait pas demandé mieux que de se joindre à elles, mais comme ni l'une ni l'autre n'avait l'air d'y tenir, elle n'a pas insisté. Et elle a revu Rosa de son côté, curieuse de savoir ce qu'elle était devenue. Curieuse et déçue.

Une drôle de fille, Rosalie, insatisfaite, mal dans sa peau, pas gentille pour deux sous, pas vraiment méchante non plus, désagréable, désarmante aussi très souvent quand elle y va de son couplet méprisant, hargneux contre tous ceux, toutes celles — et Dieu sait s'ils sont nombreux — qui passent pour des snobs à ses yeux. Et carrément chiante quand elle dénonce — remarquez, là, elle n'a pas tort — les méfaits de notre société d'opulence menacée d'obésité, insupportable affront à tous les enfants qui crèvent de faim de par le monde.

Ce qu'elle fait dans la vie ? Elle est prof d'anglais dans un lycée de banlieue. Fan d'Arlette Laguiller, elle assiste chaque année au grand meeting de la LCR. Célibataire sans enfants. A quoi elle ressemble ? Elle a les cheveux coupés très court, un nez un peu busqué chaussé de petites lunettes à monture d'acier, plutôt fluette sous ses longues jupes trop larges et ses pulls informes noirs ou gris souris.

A la voir, à l'entendre, on l'imagine totalement indifférente à son apparence, or elle ne l'est pas, loin s'en faut. En son for intérieur, elle se voudrait plus féminine et, oui, plus sexy, mais ça, pas question de se l'avouer, plutôt crever et c'est bien là que le bât blesse. C'est ce qui explique l'agressivité complexée dont elle fait preuve vis-à-vis de Lisa et de Vivi, ces snobinardes égoïstes et superficielles uniquement branchées minceur et beauté.

— Dis voir, Lisa, tu ne devineras jamais ce que j'ai découvert au sujet de Rosalie, elle se trouve moche, surtout ses seins, et ça la mine.

— Ça alors ! Elle te l'a dit ?

— Non, penses-tu ! Je m'en suis aperçue en la voyant flasher sur la couverture du magazine, il y en avait toute une pile à l'entrée du journal, tu sais le dernier numéro : « Je n'aime pas mes seins, que faire ? » Je lui en ai donné un. Elle allait le refuser et puis ça a été plus fort qu'elle, elle l'a enfoui dans son cartable tout en me lançant : « C'est bien pour toi, parce que moi, vos conneries, ça me débecte. »

— Ça, c'est tout elle ! Mais bon, ça ne signifie rien, voyons, Vivi.

— Si, parce que pendant le déjeuner je l'ai un peu sondée dans le genre « Tu sais, elles sont souvent de très bon conseil, nos conneries ». Et au lieu de me bouffer le nez, elle a pris son petit air goguenard pour me demander en quoi et comment. Alors, toi, quand tu la verras, remets le sujet sur le tapis, je suis sûre qu'elle t'écoutera, mine de rien.

— Je veux bien, mais ça m'étonnerait, braquée comme elle est contre ce qu'on est et ce qu'on fait, contre tout ce qu'on représente. Elle n'était pas comme ça, petite. Mais alors là, elle est devenue franchement pénible. Envieuse, dogmatique, aigrie, coincée, un vrai sac de nœuds.

— Ben, justement, si elle se laissait aller, si elle acceptait de nous dire ce qui ne va pas, on pourrait peut-être l'aider.

Bonnes pâtes, elles s'y sont employées, elles ont tenté de dénouer le droit-fil tout tortillé d'une Rosa engluée dans ses contradictions. Ça a pris près d'un an avant de l'amener à changer de look. Rien de bien spectaculaire, on n'allait pas la transformer en poupée Barbie, mais juste ce qu'il faut pour la mettre en valeur. La pousser à adopter un tailleur-pantalon et à troquer ses lunettes contre des verres de contact. Et une autre année encore, très agité, celui-là, ponctué de violentes rebuffades et de longues bouderies pour la persuader de se faire refaire les seins puisque aussi bien elle en rêvait. Là, c'est Vivi qui est montée au créneau. Lisa, elle, jugeant que, dans le cas très particulier de Rosa, le mieux risquait d'être l'ennemi du bien, était plutôt d'avis de ne pas y toucher.

Résultat ? Jugez vous-mêmes.

— Alors, Lisa, tu les trouves comment ?

— Un peu trop gros, non, pour une femme aussi menue que toi ?

— Trop petits, tu veux dire ! Moi, je voulais un bonnet D, mais j'ai eu beau insister, cet enfoiré de chirurgien a réussi à me persuader d'opter pour du C.

— Il a eu raison, écoute, Rosa ! Ils sont ronds, ils sont fermes, ils sont beaux mais, non, faut toujours que tu râles contre quelque chose ou quelqu'un. Qu'est-ce que tu veux de plus, enfin ?

— Des seins, des vrais, les seins dont j'ai toujours rêvé en secret. Que là, je ne les supporte toujours pas, pareil que quand j'en avais pas.

— Là, tu exagères ! Moi, je les ai trouvés très jolis, très mignons quand tu t'es enfin décidée à nous les montrer. C'est marrant cette fixette que tu fais sur tes seins, toi qui es tout sauf coquette. Je veux bien qu'aujourd'hui la mode soit aux gros nichons, mais...

— Toi et tes modes ! C'est pas une question de mode, voyons, Lisa. C'est la question de se sentir bien dans sa peau, de correspondre à l'image qu'on a de soi. Vous me l'avez assez répété, toi et Vivi. Là, c'est complètement raté.

— Ne me dis pas que tu vas remettre ça.

— Oh, que si ! Et pas plus tard que dans deux mois.

— Ecoute, Rosa, sois raisonnable. Tu vas devenir comme ces nanas jamais contentes du résultat, en perpétuelle quête d'une perfection totalement névrotique, qui finissent par ressembler à des monstres genre Lolo Ferrari.

— Oui, c'est ça ! Bon, pas la peine d'insister, tu n'y comprends rien. Je veux avoir un corps qui me convient, point barre. Allez, tchao, à un de ces jours !

Si je vous ai présenté Rosalie, c'est pour revenir sur ces cas pathologiques — j'espère encore que ce n'est pas celui de Rosa —, où le recours répété, obsessionnel, au bistouri traduit moins la recherche d'un certain idéal de la beauté que la haine de soi et l'impossibilité de s'accepter, quoi qu'on fasse pour y parvenir.

Rien à voir, encore que si un peu tout de même, avec la hantise de la patte-d'oie, de la ridule ou du pli naso-buccal que l'on va guetter, traquer, d'un œil impitoyable, chaque matin dans la glace de sa salle de bains. Et ça, dès la trentaine et parfois même avant, taraudée qu'on est par la grande peur des temps modernes, être la victime de ce phénomène pourtant inéluctable, naturel qu'est le fait de vieillir. Ce qu'on refuse pour soi, curieusement, on l'accepte très bien pour les autres.

Quand, un peu avant la cinquantaine, j'ai décidé de me faire tirer la peau, pour ne pas foutre la honte à mon petit dernier, conçu sur le tard, à la sortie de l'école, ma fille aînée m'a engueulée, stupéfaite, indignée : « Enfin, maman, fais pas ça ! Il n'y a rien de plus beau, de plus émouvant qu'un visage marqué par la vie. C'est génial, voyons ! » Ici, je dois à la vérité de reconnaître qu'ayant dépassé l'âge que j'avais à l'époque, je n'imagine toujours pas ma Véro avoir recours à un lifting même léger pour faire plus jeune.

Mais, bon, c'est l'exception qui confirme la règle, ma fille. Une règle destinée à s'étendre d'ici la fin du siècle. D'autant qu'il ne se passe pas six mois avant qu'on ne lance sur le marché un nouveau produit plus ou moins efficace, sous forme d'injection — de mon temps il n'y en avait que pour les fils d'or —, destiné à effacer une ride ou à arrondir une joue un peu flasque sous une pluie d'articles criant au miracle, témoignages à l'appui.

En Californie certaines esthéticiennes organisent même des Botox parties où l'on se retrouve entre habituées pour une piqûre, un brushing, une manucure ou un nettoyage de peau, ambiance détendue, potins et champagne à volonté. On en ressort regonflée, requinquée, portable vissé à l'oreille, histoire de rameuter les copines dubitatives ou encore récalcitrantes.

Parce que ce genre de petites retouches ne prête pas à conséquence. Loin de le taire, on s'en sert au contraire pour expliquer un coup de jeune qui doit tout au bistouri. « Si j'ai fait quelque chose pour avoir aussi bonne mine ? Ben, oui, deux trois piqûres de Botox tous les six mois. Tu devrais essayer, c'est super. »

Ce qui me ramène tout naturellement à Mady. A Mady et à Mérieux. A Mérieux et à Patricia. Quand elle l'a appelé comme convenu pour avoir un compte rendu de son entretien avec sa mère, il s'est montré très évasif : il m'est difficile d'entrer dans le détail au téléphone. Et très insistant : je dois absolument vous en parler de vive voix. Intriguée, inquiète, Pat est donc retournée le voir. Toujours aussi désinvolte, aussi inconsciente de l'effet qu'elle produisait sur lui.

— Alors, comment l'avez-vous trouvée ?

— Qui ça ? Ah oui, madame votre mère... Où avais-je la tête ? Très anxieuse, très perturbée. Je l'ai rassurée en lui promettant de m'occuper d'elle quand elle aura un peu maigri, mais je ne suis pas du tout sûr de pouvoir... Vous ne lui ressemblez pas du tout... Vous êtes beaucoup moins...

— Jolie, oui, je sais, je ressemble à mon père. Elle était absolument ravissante et...

— Non, non, ça n'est pas ce que j'ai voulu dire, au contraire, vous êtes plus...

— Ne cherchez pas. On n'est pas là pour parler de moi. Et elle a accepté de suivre un régime ?

— Franchement, je n'en sais rien. Elle n'avait pas l'air très convaincue de la nécessité de... Vous habitez Paris ?

— Oui, pourquoi ?

— Comme ça, pour savoir. J'ai beaucoup pensé à vous depuis la dernière fois qu'on s'est vu.

— A moi ?

— C'est ridicule, oui, je sais, mais je ne peux pas m'en empêcher. C'est la première fois que...

— Bon, ben, je vais insister auprès de ma mère pour qu'elle suive vos conseils. Merci de l'avoir reçue. Non, non, ne me raccompagnez pas, je connais le chemin.

Il l'a regardée partir, trop ému, trop désemparé pour essayer de la retenir, et déjà en manque. Avec une seule idée en tête : comment la revoir, comment se procurer ses coordonnées ? Appeler Lisa ? Ça non, quand même, ce serait de la dernière goujaterie. Quoique...

Résultat :

— Allô, Pat ? C'est Lisa. Mérieux a laissé un message sur mon portable. Il cherche à te joindre. C'est au sujet de Mady. Une donnée très importante dont il a oublié de te parler. Tu peux lui téléphoner ?

— Ecoute, je préfère pas. Il a eu une attitude bizarre quand je suis retournée le voir.

— Comment ça, bizarre ?

— Il était confus, embarrassé. Il m'a posé tout un tas de questions, mais sur moi, pas sur maman. Tu ne pourrais pas le... Non, non, oublie, tu ne vas pas retomber dans la gueule du loup. Le mieux ce serait que tu demandes à quelqu'un du journal, une assistante, d'appeler sa secrétaire pour lui donner mon numéro de téléphone.

— Pas de problème. Et toi, comment ça va ? Tu as une petite voix.

— Non, pourquoi ? Je vais très bien. Encore qu'elle commence à me casser les pieds, Mady. Je ne suis pas sa nurse. Il serait quand même temps qu'elle se prenne en charge au lieu de m'obliger à...

— Qu'est-ce qu'il se passe, enfin, Pat ? T'en as marre de maman, là, maintenant ?

— Non mais, bon, je n'ai pas envie de continuer à me coltiner ce malade.

— Je peux le faire si tu veux. Ça ne risque plus rien. Je me fous éperdument de Mérieux, d'accord ?

— Non, non, vaut mieux pas. Si tu repiquais au truc, je ne me le pardonnerais jamais.

— Comme tu voudras.

Huit jours plus tard, coup de téléphone de Mady à Lisa. Une Mady méconnaissable. Gaie, enjouée, sincèrement curieuse, c'est plutôt rare, de savoir comment se porte sa cadette. La raison de cette soudaine embellie ? Tout bien réfléchi, Mérieux pense pouvoir tenter quelque chose sans attendre qu'elle ait maigri. Il s'est empressé de le dire à Patricia quand elle a fini par l'appeler et, bien que Pat paraisse loin de partager sa confiance, Mady reste fermement accrochée à son petit nuage. Au point d'inviter ses filles à déjeuner pour fêter ça. Pat de fort méchante humeur — ce qui ne lui ressemble pas — a commencé par refuser sous prétexte qu'elle avait trop de travail. Et puis, comme sa mère insistait, un peu vexée, limite blessée, elle a fini par accepter à condition qu'il ne soit question ni de Mérieux ni d'opération.

Elle est un peu tourneboulée, Pat, ces temps-ci, c'est vrai. Bien que volontairement fermée à tout ce qui relève du domaine de l'amour, elle a fini par se rendre compte que Mérieux en pinçait pour elle. Mais elle est suffisamment prévenue contre lui pour ne pas penser qu'il veut la mettre dans son lit, rien de plus. Partagée entre le trouble qu'elle éprouve — eh oui ! — à le voir lui faire une cour trop embarrassée, trop maladroite pour ne pas être sincère et la certitude qu'il ne peut s'agir que de l'excitation du dragueur bien décidé à la ramener dans ses filets, elle est d'autant plus perturbée qu'elle n'a personne à qui se confier. Et qu'elle le soupçonne de se servir de Mady pour multiplier les occasions de la revoir.

La seule façon de savoir à quoi s'en tenir, ce serait de s'en ouvrir à sa sœur. Mais le moyen, sans risquer de retourner le couteau dans une plaie qu'elle imagine encore mal cicatrisée ? De son côté, Lisa, à qui Mady n'a pas caché sa surprise devant l'attitude franchement bizarre de Pat, Lisa trop attachée à son aînée pour ne pas avoir senti lors de leur dernier coup de fil que ça n'allait pas, Lisa, franchement inquiète, décide sans plus attendre de passer à l'attaque :

— Allô, Patricia ? Maman m'a raconté tes réticences au sujet de ce déjeuner. Qu'est-ce qu'il y a ? Ne me réponds pas : « Rien. » Je sais qu'il y a quelque chose et je ne raccrocherai pas avant que tu me dises quoi.

— Ecoute, sœurette, je préfère garder ça pour moi. C'est personnel et...

— Ça ne me regarde pas, c'est ça ? Non mais, où tu vas là ? On s'est toujours tout dit toi et moi. Ce qui arrive à l'une concerne l'autre forcément. Et je ne te parle pas de Mady ! Elle t'invite, toute contente, à célébrer la bonne nouvelle. Tu dis non. Elle te supplie. Alors, tu finis par dire oui, mais à condition qu'on ne mentionne ni l'opération ni... Ah, j'y suis ! Ton problème, c'est Mérieux, c'est ça ?

— Mais non, qu'est-ce que tu vas chercher ?

— Pas besoin de chercher bien loin. Je suis passée par là et...

— Ben, justement tu es la dernière personne avec qui...

— Ah, je t'en prie, Pat ! Combien de fois faudra-t-il te répéter que c'est de l'histoire ancienne ? Non seulement je ne lui en veux pas mais je lui serai éternellement reconnaissante de ce qu'il a fait pour moi. Je lui dois d'avoir retrouvé JB, un JB comme je ne l'espérais plus, mé-ta-morpho-sé.

— En quoi ? Raconte !

— Toi, d'abord.

— Comment t'expliquer ? Je ne sais pas sur quel pied danser avec ce con. Il me poursuit sans aller jusqu'à m'approcher, sans vouloir...

— Sans oser peut-être, non ?

— De sa part, ça m'étonnerait. Mais bon, ce qui me tue, c'est pas lui, c'est moi, c'est l'importance ridicule que j'y attache. Curieusement, ça me déstabilise, ça me tape sur les nerfs, ça me rend odieuse, ça...

— Tiens, c'est marrant, parce qu'il est infernal, lui aussi, depuis quelque temps.

— Comment tu le sais ?

— Son infirmière chef l'a dit à Salomé quand elle est venue pour sa dernière liposuccion. Paraît que dans son service on ne parle que de ça, De ses sautes d'humeur entrecoupées de périodes d'abattement. Ou il érupte ou il s'éteint. On ne l'a jamais vu dans cet état. Personne ne comprend à quoi ça tient. T'aurais pas une petite idée ?

— Moi ? Tu plaisantes ou quoi ? Je le connais à peine. Et de toute façon je me fiche du tiers comme du quart des états d'âme de ce Don Juan à la...

— Alors, pourquoi tu ne veux plus en entendre parler ? Au point même de ne pas supporter qu'on prononce son nom devant toi, maman et moi ? Après tout ce qu'il a fait pour lui venir en aide. A ta demande... Bon, d'accord, c'était mon idée, mais la vérité c'est que tu fais l'autruche.

— Comment ça ?

— Tu refuses de regarder les choses en face. Il est amoureux de toi. Et toi de lui, c'est clair. Pour la première fois de sa vie. Et de la tienne. D'où ces malentendus, ces doutes, ces faux-fuyants. Allez, Pat, sois courageuse, rends-toi à l'évidence, ça devait arriver.

— Pourquoi ?

— Parce que vous êtes si différents l'un et l'autre de toutes celles, de tous ceux que vous êtes amenés à rencontrer, à croiser plutôt. Ça n'allait jamais plus loin ni pour toi ni pour lui.

— Conclusion ?

— Ils vécurent heureux ensemble pour la plus grande joie de leurs proches.

— Ouais, ben, on n'en est pas encore là. Qu'est-ce que tu ferais à ma place ?

— Rien. Pas un mot, pas un geste. Laisse-le venir.

— Et il viendra, tu crois ?

— Je ne le crois pas, je le sais.

Je pense à un truc. Non, rien à voir avec les émois amoureux de ces deux novices que sont Pat et Mérieux. On y reviendra sous peu, rassurez-vous. Mais, en attendant, j'aimerais vous faire part de mes petites réflexions sur l'évolution des mentalités. On dit volontiers qu'elle est lente, très lente. Pas forcément.

Rappelez-vous le tollé soulevé par l'instauration du PACS. On manifestait, on défilait. Pour (la gauche) ou contre (la droite). Cinq ans plus tard, oublié le PACS, les gays exigent le mariage. Et la France se remobilise, mais sans aller jusqu'à descendre dans la rue ce coup-là. A trois semaines des élections européennes, avec tous les enjeux que ça comportait, dans la presse et les médias on ne discutait que de ça : peut-on autoriser un couple du même sexe à se dire « oui » devant M'sieur le Maire dans l'espoir, bien souvent, d'obtenir dans la foulée le droit d'adopter des enfants. Et d'ici la fin de la décennie, on se sera tellement fait à cette idée, qu'on ne comprendra même plus l'objet d'un débat déjà dépassé.

Pareil pour la discrimination à l'embauche. Plus personne ne s'étonne aujourd'hui, tant le culte en est répandu, de constater que la beauté joue un rôle déterminant dans le choix des candidats, tous diplômés des mêmes écoles, aux postes à pourvoir.

Ça aurait fait hurler il y a encore quelques années. C'est chose admise là maintenant. Autant on s'indigne de voir refouler des handicapés, des quinqua, des jeunes femmes en âge de se mettre, à plus ou moins brève échéance, en congé de maternité ou des basanés, autant on est indulgent pour cette nouvelle forme de discrimination. Normal, après tout, de privilégier, à la lecture de deux CV quasi équivalents, la photo d'un beau garçon aux traits réguliers à celle d'un binoclard au long nez bosselé ? Sans parler d'un postulant dont la date de péremption s'inscrit en fines ridules autour de la bouche ou des yeux.

Entre nous, c'est aussi con que de parier sur l'avenir politique d'un Michel Barnier, télégénique patron du Quai d'Orsay plutôt que sur celui d'un Nicolas Sarkozy au physique plutôt quelconque. La comparaison ne tient pas la route, je sais. Le cadre recruté sur sa bonne mine par une entreprise privée n'a pas pour ambition de diriger le pays. Reste que le critère est discutable même si chacun s'en accommode sans problème à présent.

C'est si vrai qu'aux Etats-Unis, la patrie, avec le Brésil, du bistouri réparateur, au rayon des reality shows la mode est à la « Chir Ac ». Le fait de vouloir changer de gueule, de corps ou de se faire remodeler le visage à l'image de son idole (Pamela Anderson, Brad Pitt, Britney Spears et Elvis Presley sont les modèles les plus demandés) fascine les téléspectateurs invités à suivre en direct, épisode après épisode, les peu ragoûtantes opérations que nécessitent ces métamorphoses.

Elles font péter l'audimat. Et les chaînes rivalisent d'imagination dans un domaine, la chirurgie esthétique, tellement étendu, tellement banalisé que, de Melanie Griffith à Faye Dunaway, les plus grandes stars admettent sans complexes y avoir eu recours.

Nous, ici, on ricane, on se gausse, sans penser que tous les phénomènes de société nés outre-Atlantique mettent une dizaine d'années maxi avant de gagner la vieille Europe. Et que ce qui nous paraît du dernier grotesque aujourd'hui sera peut-être subrepticement entré dans nos mœurs après-demain. Au même titre que le Women's Lib ou la Gay Pride.

Inutile de vous récrier ! Chez nous, plusieurs chaînes généralistes n'ont pas attendu 2025 pour programmer à une heure de grande écoute des docu-vérité, images sans concession à l'appui, sur des nanas prêtes à tout pour changer la forme de leurs seins, de leurs fesses ou de leur nez. Voire, s'agissant de mecs, la taille de leur sexe.

Quant aux obèses, sujet incontournable, le nombre d'enfants trop gros est en constante expansion, on ne nous épargne rien de leurs tentatives désespérées pour maigrir ni de l'opération de la dernière chance qui consiste à réduire des deux tiers la taille de leur estomac, histoire d'obtenir sans effort une impression de satiété. Sans nous cacher qu'une énorme perte de poids nécessite par la suite tout un tas d'interventions pour retendre des chairs qui pendouillent de partout.

Tiens, à propos, quand j'étais môme, c'est aux petits Chinois qu'on me demandait de penser en exigeant que je finisse ce qu'il y avait dans mon assiette. Après quoi on est passé aux petits Ethiopiens puis aux petits Biafrais. Remarque absurde au demeurant. Comment ce reste de nouilles ou de steak haché que j'étais forcée d'avaler, moi, pourrait-il remplir le ventre d'un gamin affamé à l'autre bout de la planète ? Et vous savez qui est le plus menacé d'obésité à l'heure actuelle, résultat de la politique malthusienne de l'enfant unique dans un pays maintenant en plein essor ? C'est le petit Chinois de mon enfance à qui ses parents n'ont jamais rien pu refuser au rayon friandises.

Pour en revenir à l'Hexagone, des opérations esthétiques on en a recensé plus de trois cent mille l'an passé. Et à une époque où le paraître prend de plus en plus d'importance, on ne voit pas par quel miracle cet irrésistible courant pourrait s'inverser.

Soyons réalistes, il ne s'agit pas, en l'occurrence, d'une foucade passagère mais d'une véritable lame de fond. Avec tous les risques — il y en a, certes — et toutes les satisfactions — elles l'emportent et de loin — que ça comporte.

Alors, métamorphosé, JB ? En quoi ? En jeune cadre branché. Rasé de près, ses cheveux gris coupés très court, il est allé se faire relooker chez Armani en cachette de sa femme. Il voulait lui en faire la surprise. Totale, la surprise, renversante ! C'est bien simple, quand ce monsieur élégant, hyperséduisant s'est approché de leur table dans le restaurant où il lui avait donné rendez-vous pour dîner — « Fais-toi belle, c'est une soirée un peu spéciale » — Lisa ne l'a pas reconnu. Elle s'est levée, stupéfaite, les yeux écarquillés. Il s'est assis en face d'elle, les yeux baissés sur un petit sourire mi-faraud mi-inquiet.

— Tu ne dis rien ? C'est pas ce que tu voulais ?

— C'est encore mieux, mon chéri, c'est

sensationnel. Le plus beau cadeau que tu m'aies jamais fait. Je viens de rencontrer un autre homme mille fois plus beau, plus sexy que...

— Là, tu exagères !

— Non, je te jure. Tu es irrésistible. Mais comment annoncer ça à mon mari ?

— Ça risque de lui faire beaucoup de peine, parce que je le connais, il t'aime comme un fou. Assez fou pour changer du tout au tout sur un simple claquement de doigts de ta part.

— Ça, c'est pas juste ! Je ne t'ai jamais brusqué. Au contraire, on se creusait la tête avec Axelle pour savoir comment t'amener à le faire petit à petit. Et toi, du jour au lendemain... Tu ne vas pas le regretter, dis ?

— Je ne crois pas, mais rien n'est moins certain. Muer, c'est relativement facile. Encore faut-il s'adapter à sa nouvelle peau, apprendre à l'habiter.

— Compte sur moi. Sur nous. Depuis le temps qu'elle te tanne, elle va être folle de joie, Axelle.

— Pas sûr ! Ça va nous priver d'un jeu de rôle qui nous amusait beaucoup. Enfin, non, plus tant que ça, c'est vrai. On y mettait moins de conviction, normal, ça tournait à la rengaine. Moi, depuis notre grande réconciliation, ça m'intéressait de moins en moins. Et elle, elle allait de plus en plus souvent s'enfermer dans sa chambre, avec son portable. Sous-entendu...

— C'est ma bande. Et je ne veux pas que tu te mêles de nos conversations.

— Tant qu'il s'agit de copains, de grands copains, je ne demande pas mieux là, maintenant, mais c'est le petit copain que j'ai du mal à...

— Ah bon ! Elle en a un ? Curieux, elle ne m'en a rien dit. A toi, si ?

— Non, c'est une impression... Un certain Romain.

— Romain ? Mais il a tout pour lui, ce garçon ! Il est très beau, très doué, très intelligent...

— Justement, c'est bien ça qui me fait peur. Rien qu'à l'idée que ce sale con puisse se taper ma fille, je vois rouge.

— Tout de suite se la taper ! Qui te dit qu'il n'en est pas amoureux ? T'as peur de la perdre, hein, c'est ça ? Décidément tu ne changeras pas. Jaloux, possessif Prière de ne pas piétiner mes plates-bandes. Pas touche à ma jolie fleur en bouton.

— Ben, oui, c'est une gamine. Elle a à peine quinze ans, tu te rends compte ?

— Ce dont je me rends compte, c'est que t'es pas au bout de tes peines, mon pauvre ami. Enfin, Jean-Bernard, sois raisonnable, elle s'ouvre à la vie, à...

— « Mon pauvre ami », « Jean-Bernard »... Qu'est-ce qu'il y a, t'es fâchée ?

— Vexée plutôt. C'est pas pour moi que tu as changé de look, c'est pour Axelle, allez, avoue.

— N'importe quoi ! Tu ne penses tout de même pas que je cherche à la séduire, enfin, Lisa !

— Non, mais un papa-copain a moins de chances de se faire obéir qu'un père-père, juif de surcroît.

— Qu'est-ce que ma juiverie vient faire là-dedans ?

— On dit toujours des mères juives qu'elles veulent garder leur fils rien que pour elles. Tu fais pareil avec ta fille, voilà tout.

— Absolument pas ! Le jour où elle sera assez adulte, assez lucide pour faire le bon choix, je serai le premier à m'en réjouir.

— Ouais, ben, comme t'es parti, c'est pas demain la veille.

C'est un dîner de filles. Encore un. Lisa, Vivi, Patricia et Salomé se sont donné rendez-vous au Colbert. Pat, très en forme, très détendue, les a prévenues, elle va devoir s'éclipser tôt. Elle a un rendez-vous en fin de soirée. Elle n'en dira pas plus. Les autres se gardent bien d'insister. Une coupette, puis une deuxième. Quand arrivent les menus, l'humeur est enjouée. Seule Salomé tire la tronche.

— Poireaux vinaigrette et sole grillée ? Ben, qu'est-ce qui t'arrive, Sal ? Tu préfères le régime à la seringue là, maintenant ?

— Bien obligée. La dernière fois que je suis retournée le voir, Mérieux m'a claqué la porte au nez. Faut dire, il n'était pas à prendre avec des pincettes. C'était niet à tout.

Alors, Pat :

— Ça s'est arrangé depuis, non ?

— Paraît. Mais, bon, tant pis. Mon ami est d'accord avec lui, alors...

— Tu as un ami et tu ne nous en as rien dit, espèce de petite cachottière ! Raconte, c'est qui ?

— Un nutritionniste, figurez-vous. Je suis allée à sa consultation il y a déjà quelque temps et je suis repartie en courant. Un mec pas possible. Un ayatollah de la guerre aux kilos.

— Et comme tu es un rien maso, tu es revenue en rampant pour te faire engueuler de nouveau, c'est ça ?

— Non, mais ça va pas ? On s'est croisé il y a un mois dans un vernissage. J'avais une ligne terrible, forcément, je sortais de me faire liposucer. Il m'a félicitée, sûr que j'avais suivi ses instructions à la lettre. Et, je ne sais pas ce qui m'a pris, j'ai éclaté de rire et je lui ai tout raconté.

— Comment il a réagi ?

— Tellement indigné qu'il m'a prise par le bras pour me sermonner au bar du Montalembert. La galerie est à deux pas. Il a commencé par commander deux jus de tomate. Après quoi, on est passé au champagne. Résultat, quand on est reparti deux heures plus tard, c'est bras dessus bras dessous et voilà !

— Attends, il est comment ? Age ? Poids ? Taille ? Situation de famille ?

— Quarante-quatre ans. 70 kilos. 1,85 mètre. Divorcé sans enfants.

— Et vous allez vous mettre ensemble ?

— Franchement, j'hésite. Je suis partagée entre la peur de mourir d'inanition et le plaisir de dormir avec lui. Côté sexe, c'est génial, mais côté bouffe, c'est infernal. Et je ne vous parle pas du jogging matinal — quand je suis là, il veut que je l'accompagne —, des séances de muscu — bon ça, il y va tout seul — et des virées en VTT le dimanche. Jamais de grasses matinées... Remarquez, normal, il a la phobie du gras et du sucré.

— Pas marrant, en effet. Mais c'est peut-être l'homme qu'il te faut, Salomé. Rien de tel pour garder la forme qu'un coach à demeure.

Maintenant, c'est au tour de Vivi de passer sur la sellette. Elle n'a pas dit grand-chose jusqu'à présent, mais son petit sourire entendu, façon Joconde, ne va pas tarder à attirer l'attention des copines.

— C'est quoi, Vivi, cet air de ne pas en avoir ? T'es enceinte, ça y est ?

— Non, enfin si... J'ai huit jours de retard et j'ai bien l'impression que là j'y suis.

— Moi, ça m'a fait pareil pour Axelle. Je l'ai su au saut du lit.

— Bon, ça va, Lisa, ça peut arriver, d'accord, mais c'est rare. Ne va pas lui donner de faux espoirs. C'est pas parce qu'elle n'a rien vu au bout d'une semaine que...

— Ouais, ben, j'ai intérêt à tomber enceinte le plus vite possible parce que, question bébé, Julien est déjà en train de se raviser. Et vous savez pourquoi ? Je vous le donne en mille. C'est rapport à mes fesses. Il a repiqué au truc et il a peur qu'en prenant du ventre je m'arrondisse de là aussi.

— Quel chieur, ce mec, franchement, Vivi ! Un coup, il en veut un, un coup il en veut plus. T'as raison, reste plus qu'à espérer que ce coup-ci, ce soit le bon !

Quand je vous disais qu'elle était gaie, enjouée lors de ce dîner, Patricia, c'est une litote. Elle bulle, elle plane, elle se pince chaque matin au réveil pour être sûre de ne pas rêver. Mérieux pareil. L'amour passion quand ça vous tombe dessus, c'est la plus puissante des amphétamines. Ça vous coupe l'appétit, ça vous prive de sommeil et ça vous donne des ailes. Ce qui ajoute encore à son bonheur c'est la certitude que son Marc, d'infâme imposteur devenu, par un coup de baguette magique, bienfaiteur de l'humanité, va faire tout son possible pour redonner à sa mère un visage acceptable.

Trois mois plus tard, considérablement embellie, Mady rassurée, à nouveau réconciliée avec elle-même, ne peut cependant pas cacher qu'il y a toujours quelque chose qui ne va pas. Elle recommence à se plaindre. De Charles. Lui, si aimant, si attentionné dans le passé, il l'évite à présent. On dirait même qu'il la fuit en multipliant toutes les occasions de sortir jusque tard dans la nuit, quand ce n'est pas de s'absenter plusieurs jours d'affilée sous prétexte d'un tournage ou de la promotion d'un film en province, voire à l'étranger.

C'était déjà un peu le cas avant, mais Mady, obsédée par son reflet dans la glace, avait attribué ça à la honte qu'il devait éprouver à être vu avec une vieille peau. Et puis constatant que l'opération, pourtant réussie, n'a rien changé à son attitude, elle en a conclu qu'il aime ailleurs. Et ça la mine.

Du coup, Patricia, qui ne supporte pas de la voir souffrir, a décidé d'en avoir le cœur net en invitant Charles à déjeuner sous prétexte d'un service à lui demander. Mais, attention, fallait surtout pas parler de ce rendez-vous à sa mère. Il a accepté avec empressement. Et le lendemain matin :

— Allô, Lisa ? C'est Pat. Ecoute, chérie, tu ne connais pas la dernière ? J'ai vu Charles pour le confesser. Et c'est pas une petite amie qu'il a, figure-toi, c'est un cancer de la prostate.

— C'est pas vrai !

— Si, hélas ! Il m'a tout raconté, trop content de pouvoir se confier. Il le lui cache depuis trois mois de peur de lui faire peur, de la dégoûter, de l'inquiéter, de se dévaloriser à ses yeux. Il préfère passer pour un vieux noceur que pour un grand malade.

— Et elle qui croyait...

— Oui, ben, elle avait tout faux. Il l'aime comme au premier jour. Ses rides, un peu plus un peu moins, c'est pas qu'il s'en fout, il ne les voit tout simplement pas. Il est tombé des nues quand je lui ai raconté tout ce qu'elle a enduré pour ne pas risquer de le perdre.

— Ils sont bien assortis, dis donc, ces deux-là ! Remarque, maman, d'accord, elle adore Charles, mais c'est pas que pour lui qu'elle est déjà passée trois fois sous le bistouri.

— Je sais bien, mais quel quiproquo quand même, avoue !

— Insensé ! Dis voir, Pat, c'est vraiment grave, son cancer ? Non, parce qu'on en guérit très bien aujourd'hui. T'en as parlé à Marc ?

— Oui, bien sûr. Et ça tombe bien, il était à la fac avec un copain qui est devenu le meilleur urologue de Paris. On va lui adresser Charles pour savoir à quoi s'en tenir. En attendant, je me demande s'il faut essayer de lever ce malentendu entre eux. Imagine qu'il soit mourant, c'est peut-être pas la peine d'infliger ça à maman.

— Attends, Pat, tu te rends compte de ce que tu dis ? Tu vas le laisser crever seul dans son coin, pour éviter à ta petite chérie la vue pénible de son agonie.

— Mais c'est une question de jours, voyons, sœurette, avant d'en avoir le cœur net. Et leurs retrouvailles dépendent en grande partie du diagnostic. S'il se sait foutu, tel que je le connais, c'est lui qui refusera de se montrer à Mady sur un lit d'hôpital en train de râler, la bouche ouverte, avec des perfs, des tuyaux enfoncés partout.

— Il est vraiment génial, ce type, non ? Elle a eu une de ces chances de tomber sur lui !

— Sauf qu'elle est de nouveau bouffée par le doute. Elle angoisse à mort et je préfère ne pas penser à ce que ce sera quand elle ne l'aura plus.

— Moi non plus. Alors n'y pensons pas. Et touchons du bois.

Vous devez vous languir, là. Et Rosalie, qu'est-ce qu'elle devient ? Elle devient chèvre, si vous voulez savoir. Faut dire : il lui arrive un truc pas possible. A peine s'était-elle fait refaire les seins qu'elle a flashé sur le nouveau psy attaché à son lycée. Un gros, un très gros béguin. Il est long de partout, Vincent, la taille, le nez, les mains. Long et étroit. Etroit et un peu mou. Mou de corps et psychorigide dans sa tête. Ils étaient faits pour se rencontrer, ces deux-là. Sauf qu'il ne jure que par Lacan et elle par Trotski.

Enhardie par la première phase de l'opération séduction « plus belle et plus sexy » déclenchée par Lisa et Vivi, elle lui a proposé de prendre un café à la machine au fond du couloir. Huit jours plus tard, c'est lui qui l'invitait au bistro au bout de la rue. Ensuite, ils se sont donné rendez-vous pour déjeuner dans un petit restau du Quartier latin. Après quoi, plus rien. Quand il la croise, il est courtois, poli. Sans plus.

La raison ? Espérant l'ensorceler, Rosa avait troqué, ce jour-là, son tailleur-pantalon contre une petite robe au décolleté plongeant, pas trop, juste ce qu'il faut, et s'était risquée à jouer le jeu recommandé par la presse féminine : Bouclez-la. Et écoutez-le parler avec des étoiles plein les yeux. Décontenancé, déçu, il croyait avoir rencontré une femme fine, intelligente, à la repartie facile, toujours prête à donner son opinion sur tout, bourrée de préjugés mais, bon, lui aussi, et il se retrouve en face d'une bécasse limite mongole avec des gros nichons. Alors, ça, désolé, très peu pour lui.

Rosalie, qui n'a pas tardé à comprendre les raisons de cet éloignement, s'en veut à mort. Comment a-t-elle pu être assez sotte pour suivre les conseils de ces magazines à la con ? Et comment rattraper le coup, là, maintenant ? D'autant qu'elle ne le voit qu'en cas d'incident grave susceptible de traumatiser élèves et enseignants. Fort heureusement, si j'ose dire, il va s'en produire un avant la fin du mois. Dans sa classe, qui mieux est. Une beurette un brin hystérique à qui elle a collé une mauvaise note l'a attendue à la sortie du bahut flanquée de son grand frère armé d'un couteau suisse.

Rien de grave, au demeurant, une égratignure à la main, juste assez pour mobiliser les collègues et inciter le proviseur à déclencher le plan psy, sans aller jusqu'à alerter l'Académie. Retour de Vincent, entretiens particuliers avec les profs concernés et en tout premier lieu avec la victime désignée de cet acte de violence heureusement sans conséquence.

Quand Rosalie a déboulé dans la salle des profs où l'attendait Vincent, il ne l'a pas reconnue. Lunettes, longue jupe informe et pull assorti, elle avait ressorti sa panoplie cache-complexe d'avant guerre, la guerre de deux ans que lui ont livrée Lisa et Vivi pour l'obliger à en changer. Ce qu'elle s'est empressée de faire dès le lendemain, après lui avoir démontré qu'il ne fallait pas se fier aux apparences.

A partir de là, leur relation a repris son

cours. Un cours tantôt excitant, tumultueux, ponctué de prises de bec ou de passes d'armes, tantôt apaisé, langoureux, très lent, ils ne tiennent pas à précipiter les choses. Jusqu'au jour, le jour de la Saint-Valentin, bouquet de fleurs et dîner aux chandelles, où Vincent lui a expliqué en clinicien, sans penser à mal, qu'il avait la phobie des gros seins. D'où son mouvement de recul quand il avait cru deviner sous la robe aguichante qu'elle portait lors de leur premier rendez-vous des mamelles de vache laitière.

Je vous passe les raisons de cette répulsion, un truc du genre amour-haine de sa mère tardant à dégrafer son corsage à l'heure de la tétée, vu que ma pauvre Rosa, effondrée, n'en a pas saisi un mot. Effondrée de chagrin d'abord, soulevée de fureur ensuite. Contre ses copines. A peine s'est-elle retrouvée sur le trottoir — Non, non, ne me raccompagnez pas, je préfère rentrer seule — qu'elle appelle Lisa.

Lisa qui a enfin réussi à obtenir de JB qu'il libère Axelle — elle avait rendez-vous avec son petit copain — après une interminable garde à vue, ponctuée d'interrogatoires répétitifs (Avec qui tu sors ? A quelle heure tu rentres ?), Lisa bien décidée à profiter de son homme commence par ignorer la sonnerie du téléphone. Et puis, vous savez ce que c'est, elle finit par décrocher partagée entre la curiosité et la contrariété :

— Allô, oui ? Ah, c'est toi, Rosalie. Qu'est-ce qu'il y a encore ?

— Il y a que tu as bousillé ma vie, si tu veux savoir.

— Rien que ça ? Ecoute, ma petite Rosa, si tu veux bien, ta grande scène de l'acte II, on la reporte à demain. Là, je ne suis pas d'humeur à...

— Non, mais je rêve ! Madame fait voler en éclats tous mes espoirs de bonheur et n'a même pas la courtoisie de se baisser pour ramasser les morceaux !

— Tu vas m'expliquer, oui ? De quoi tu parles, là ?

— De mes seins.

— Tu les as tellement fait gonfler qu'ils ont fini par péter, c'est ça ?

— Non, c'est pas ça. C'est que mon... Mon fiancé les aime petits et que toi et Vivi, vous m'avez poussée à...

— Moi ? Non, mais c'est quoi, ce délire ? Je t'ai toujours dit que tu n'aurais jamais dû... Ils étaient parfaits. Fallait pas y toucher. Mais, non, avec ton caractère de cochon, tu m'as envoyée sur les roses : « Va te faire foutre ! Il me faut un bonnet D et je l'aurai. » On a dû te retenir par la peau des fesses pour pas que tu te reprécipites sur la table d'op.

— Oui, bon, peut-être. N'empêche, dis-moi ce que je dois faire là, maintenant. Tu me dois bien ça.

— Je ne te dois rien du tout ! C'est toi qui devrais nous être reconnaissante de tout ce qu'on a fait pour toi. Mais non, penses-tu ! Tu veux que je te dise, Rosalie, tu es vraiment la reine des chieuses. Butée. De mauvaise foi. Méchante. Alors, tes seins, tu te démerdes avec. Le seul conseil que je te donne, c'est de ne plus m'en parler, plus jamais. Allez, salut ! Et bonne chance !

Elle est mal, là, Rosalie. Très mal. Trop mal dans sa peau, même si de ce côté-là, ça s'est un peu arrangé, pour se ficher du tiers comme du quart de l'opinion d'un Vincent sur le volume de ses seins. Pas assez sûre de son allure pour oser s'affirmer telle qu'en elle-même, enfin, elle a réussi à se transformer.

Reprise par le doute, petite guêpe se cognant à la paroi d'un verre renversé, elle ne sait plus à quels seins se vouer. D'autant que le chirurgien à qui elle a exposé son dilemme lui a fortement déconseillé de revenir à ce qu'elle était avant la première intervention. Passer d'un bonnet B à un bonnet C, rien de plus facile, ça ne laisse pas de trace. L'inverse, si. Elle en portera la marque toute sa vie sous la forme d'une petite cicatrice blanche encerclant le mamelon : « Sur une plage où triomphe le monokini, les femmes qui se sont fait réduire la poitrine, on les repère au premier coup d'œil. »

C'est encore Vivi qui va tenter de la tirer de là. Une Vivi euphorisée par son début de grossesse, oui, cette fois, ça y est ! Une Vivi touchée par la fragilité secrète de cette petite chienne enragée qui ne peut pas s'empêcher de mordre la main tendue.

Elle a invité Rosa à déjeuner. Et avant même de déplier sa serviette elle déclenche le plan ORSEC.

— Lisa m'a dit pour tes seins.

— Ah bon ? Ça n'avait pourtant pas l'air de l'intéresser outre mesure.

— La preuve que si, mais la question n'est pas là. Tu veux que je te dise, ma puce, ton problème, c'est pas tes seins, c'est ton attitude face à ce garçon. Il fait quoi ? Psy ? Et il a la phobie des gros nichons, c'est ça ?

— Exactement. Quelle malchance, avoue ! Vous y êtes pour quelque chose, t'es bien obligée de le reconnaître. A force de jouer les Pygmalion vous avez bousillé mes chances de plaire à un mec telle que j'étais au naturel.

— Alors, là, Rosalie, je t'interdis ! Il y a des limites à la mauvaise foi. Ce ne sont ni tes pantalons ni tes verres de contact — il ne sait même pas que tu en portes — qui risquent de le faire gerber, c'est ta poitrine siliconée, je regrette. C'est toi qui l'as voulue. A toi de l'assumer là, maintenant.

— L'assumer ! L'assumer ! C'est bien joli, mais comment ?

— En attendant le plus longtemps possible avant de te déshabiller devant lui, histoire de le rendre trop impatient, trop épris pour s'arrêter à des détails de ton anatomie. Après quoi, tu lui demandes, bille en tête, s'ils lui plaisent, tes seins. « Pas trop petits vraiment ? Tu ne dis pas ça pour me faire plaisir ? Parce que moi, si. Je me demandais même si je ne devrais pas... » A quoi, il va se récrier : « Non, non, n'y touche surtout pas, ils sont bien assez gros comme ça. — Trop gros, tu veux dire ? — Mais non, quelle idée ? Je les trouve très beaux, très... »

— Et s'il répond : « Ben, oui. Moi, mon idéal, c'est Jane Birkin, alors tu vois ! » Je fais quoi, là ? Je fais pitié ?

— Non, tu fais envie. Tu prends le ton d'une infirmière chef, pour lui dire que ça se soigne, ce genre de mammophobie et que, psy ou pas, il est bon pour le divan. Là-dessus tu remets ton soutien-gorge et tu prends la porte avec un grand sourire encourageant.

— Attends, Vivi, je veux le garder, moi, pas le larguer.

— Alors, tu lui proposes, conciliante, soumise, de passer sous le bistouri pour te faire raboter les nénés ou même de les couper carrément si ça peut le mettre à l'aise. Mais, bon, ça m'étonnerait qu'il accepte, ce qui nous ramène au scénario initial. Dans le cas contraire, t'auras joué à qui perd gagne parce que, franchement, passer le reste de ta vie avec un grand malade mental, à ta place, j'hésiterais.

Là, elle a raison, Vivi. Changer la forme de certaines parties de son anatomie pour mieux correspondre à l'image idéale de la femme véhiculée par la pub ou la télé, je veux bien. A condition toutefois d'être assez sûre de soi pour ne pas faire machine arrière ou de passer, au contraire, à la vitesse supérieure, histoire de se plier aux préférences — « T'étais mieux avant » ou « C'est pas encore ça » — de nos partenaires. On n'en finirait pas. A condition aussi de s'en tenir là et de ne pas obéir trop souvent aux impératifs de la mode. Une mode à peine moins versatile dans ce domaine que dans celui des fringues.

Non, parce que là, vous n'êtes pas au bout de vos peines. Savez-vous à quoi on s'intéresse depuis un certain temps déjà dans la presse américaine, *Newsweek* en a fait sa couverture l'an dernier ? A la mondialisation des critères de beauté. Vous me direz, rien de nouveau sous le soleil levant. Il y a belle lurette que les Asiatiques ne reculent devant rien pour ressembler aux stars hollywoodiennes. Elles se font arrondir les yeux, creuser les joues, élargir les hanches, allonger le nez et même les jambes.

Oui, bon, OK, seulement voilà, ce mouvement d'ouest en est aurait tendance à s'inverser, accéléré encore par la place prépondérante que va tenir la Chine dans les échanges internationaux. L'Occident est de plus en plus sensible au charme d'un modèle universel empruntant à la beauté orientale de quoi pimenter la blondeur californienne, longtemps considérée comme le must en matière de séduction.

Alors, ne venez pas vous plaindre, dès à présent, d'une éventuelle uniformisation des formes féminines entièrement remodelées au scalpel. Qu'est-ce que vous direz quand plus rien ne viendra distinguer une Sévillane d'une Pékinoise ? Là, on sera vraiment entré dans *Le Meilleur des mondes* d'Aldous Huxley, un monde peuplé de splendides créatures mâles et femelles, conçues *in vitro* en fonction de leur patrimoine génétique, couvées en bouteille et élevées en nursery. Au même titre d'ailleurs que les humains de classe inférieure, destinés à des travaux subalternes et répondant à des normes mieux adaptées à leur place en bas de l'échelle sociale.

Un monde où s'ébattent des êtres conditionnés dès le berceau à se conformer à ce que l'on attend d'eux. Un monde où l'on ne croise que des enfants, des ados et des jeunes adultes qu'on s'empresse de parquer dans des réserves, à l'abri des regards, dès que se manifestent les premières atteintes de l'âge.

Oui, je sais, il ne s'agit là que d'un roman de science-fiction. Et quel roman ! Pour moi on n'a jamais rien fait de mieux dans le genre. Un visionnaire, ce génie de Huxley ! Au point qu'au rythme où elle se développe, la science, on est en droit de se demander si elle n'est pas en passe de rejoindre la fiction.

— Hé ho, Pat ! Tu vas descendre de ton petit nuage, oui ? Je te parle.

— Quoi ? Qu'est-ce que tu dis ?

— Tu sais ce que tu as, ma pauvre chérie ? T'es malade, malade de la tête. Tu souffres d'un trouble obsessionnel compulsif.

— Ah bon ! Et c'est grave, docteur Salomé ?

— Encore assez, oui. Tu fabriques trop d'ocytocine. Ça te bouleverse les neurones et c'est ça qui te rend dingue.

— Raide dingue de mon mec, c'est vrai. C'est vraiment mystérieux, l'amour, le grand amour. Moi, qui le fuyais comme la peste, ça m'est tombé dessus va savoir pourquoi.

— C'est pas mystérieux du tout, voyons, Pat, c'est entièrement biologique.

— Tiens, c'est nouveau ! Ça vient de sortir ?

— Non, ça fait déjà un moment que des savants américains ont étudié et catalogué les caractères psychophysiologiques de l'état amoureux et ils en ont conclu que ça agit sur le cerveau à la façon d'une drogue dure.

— Remarque, c'est pas faux. Marc, quand je ne peux ni lui parler ni le voir pendant quelques heures, je suis carrément en manque. Lui, pareil. Tu crois qu'on devrait suivre une cure de désintoxication ?

— Pas la peine, ça passe tout seul au bout de trente-six mois.

— Trente-six ? Pas trente-quatre ou trente-huit, t'es sûre ?

— Absolument. C'est scientifique. J'ai lu un article là-dessus chez le dentiste.

— A propos, où t'en es avec ton shooté à la gym-régime.

— Tais-toi ! Maintenant que j'y ai touché, je ne peux plus m'en passer. J'ai peur de devenir accro.

— Et alors ? Les pompes, la muscu, le poisson grillé et les légumes vapeur, question défonce c'est pas bien méchant.

— Au bout d'un certain temps, si. Tu risques l'overdose.

— Remarque, là, ça doit être facile d'arrêter.

— Pas pour lui, toujours. Lui, il deale jusque dans son cabinet. Il est nutritionniste, oublie pas. Le jour où je refuserai de me shooter à l'aiguille de son pèse-personne, il le prendra très mal.

— Mal au point de rompre ?

— Probable, oui. C'est difficile, voire impossible pour un maniaque de la forme de s'accommoder de quelqu'un qui ne partage pas son idée fixe. De ce côté-là, t'as de la chance. L'obsession amoureuse, en règle générale, c'est réciproque, vu qu'on a été programmé pour. Pour assurer la survie de l'espèce.

— Attends, je comprends pas. C'est atavique ou biologique ?

— Les deux. C'est la nature qui veut ça. Alors qu'elle se fout du tiers comme du quart qu'une femme ait le ventre plat et les fesses haut perchées. Au contraire, elle leur a prévu des hanches larges et bien enveloppées pour les rendre plus aptes à la fabrication des bébés.

— Oui, ben, avec nous, elle s'est mis le

doigt dans l'œil. Des gamins, Marc n'en veut surtout pas. Et ça tombe bien parce que je serai bientôt trop vieille pour en avoir.

— Ça ne vous empêche pas de vous livrer, le cœur en fête et les phéromones en folie, au simulacre de la reproduction, non ? Eh ben, elle fait pareil, la nature, elle fait semblant. Là où elle n'en démord toujours pas, c'est dans le choix de sa, de son partenaire. Depuis la nuit des temps, les hommes préfèrent les femmes jeunes et jolies aptes à leur faire des beaux enfants et...

— Et les femmes, des hommes riches et puissants capables d'assurer la sécurité et la prospérité de leurs mouflets. Oui ça, on avait remarqué.

— Marrant de penser que ce qui est toujours d'actualité remonte à l'âge des cavernes, tu trouves pas, Pat ? Regarde, toi et Marc.

— Je regarde et je vois une femme mûre, maigre, genre garçon manqué et...

— Et un chirurgien célèbre bourré aux as, au top d'une carrière dans le vent.

— Dans le vent des arbres où se balançaient nos lointains ancêtres ?

— Ben, oui, puisqu'il s'agit de fournir des nanas de plus en plus jeunes et jolies à des mecs qui...

— Qui courent les salons de beauté, posent nus dans les pubs et se féminisent à toute allure. Excuse-moi, Sal, mais elle ne tient plus debout, ta théorie à la con.

— C'est pas la mienne, c'est celle à Darwin. Et c'était tout sauf un con, je regrette.

— Peut-être, mais dans mon cas, il a tout faux. Marc, son fric, j'en ai rien à cirer, j'en gagne bien assez et loin de vouloir fonder une famille on a décidé de faire appartement à part. Dis donc, j'y pense, ces trente-six mois de passion, ça correspondrait pas au temps qu'il faut pour mettre en route et s'occuper d'un bébé ?

— Exactement.

— Bon, alors de ce côté-là, ça va, on a encore des années d'amour fou devant nous.

— Enfin, Pat, pour quoi faire si vous ne voulez pas avoir des petits ?

Bonne nouvelle ! Le chirurgien urologue recommandé par Mérieux est très optimiste quant à l'issue du cancer de Charles. C'est beaucoup moins grave, plus circonscrit que ce qu'on lui avait laissé entendre. Il devra subir une petite intervention, suivie — simple mesure de précaution — d'une radiothérapie, l'affaire de quatre à cinq semaines maxi, après quoi il pourra se considérer comme guéri.

Charles est ravi, pensez ! Soulagé, rajeuni, entièrement repris par sa mentalité de battant. Lui qui se croyait à la mort, il renaît à la vie. Et d'abord à Mady. Encouragé par ses belles-filles, il a décidé de tout lui avouer : sa peur panique à l'annonce brutale de sa fin prochaine dans d'atroces souffrances. Son désir animal de se cacher pour mourir après avoir donné le change le plus longtemps possible. Son refus buté, absolu, de se montrer vulnérable, diminué aux yeux de sa princesse. Ses remords, enfin, quand il a appris la façon dont elle avait réagi à sa frénésie — tout en trompe-l'œil — de fiestas et de virées. Il n'a plus qu'une envie, la rassurer, la chouchouter et profiter avec elle de ce sursis inespéré.

C'est compter sans le caractère alarmiste, anxieux de cette vieille petite fille un rien maso, qui n'aime rien tant que de se raconter des histoires tristes.

— Comment tu le sais, d'abord, mon chéri, que le premier diagnostic n'était pas le bon ?

— Parce que je me suis renseigné, le chirurgien auquel m'a adressé Mérieux, il n'y a pas mieux. Il est calme, posé, raisonnable, très sympathique et j'ai confiance en lui. Et en moi. J'ai un moral d'acier là, maintenant, plein de projets, alors que j'avais tout laissé tomber. Et la certitude que d'ici Noël je me réveillerai à côté de toi, ma toute belle, avec l'impression d'avoir fait un mauvais rêve, rien de plus.

— Et si...

— Il n'y a pas de si, c'est une certitude, voyons, Mady. Tu vas me croire, oui ?

— Je voudrais bien, mais...

— Pas de si. Pas de mais. Allez, arrête d'avoir peur de ton ombre. Tout ira bien, je te le promets.

— Promets-moi aussi de m'aimer comme avant quand tu seras guéri.

— Non, ça, je peux pas. Je t'ai toujours aimée pareil. Depuis le premier jour, avant même celui où je t'ai rencontrée. Tu es ma femme, ma merveille, ma beauté. Comment peux-tu en douter ?

— Plus ça va, plus j'ai peur de faire figure de vieille épouse sur le retour, de rombière tapée, décatie comparée aux jeunes actrices que tu croises à longueur de journée. De soirée aussi aux Bains ou chez Castel. C'est si vrai que tu ne me regardes plus. Et j'en souffre. Ça tu peux le comprendre, quand même, Charles.

— Difficilement parce que toi, ce que tu ne comprends pas, c'est que ces femmes, si je les regarde, si je les évalue, si je les jauge, c'est dans un but purement professionnel. Pour savoir ce qu'elles pourront donner dans tel ou tel rôle. Que je les aime ou pas revient à dire que je préfère la tarte aux fraises à l'éclair au chocolat. Ça ne va pas plus loin que ça. Rien à voir avec toi. Toi, je t'aime comme j'aime ma jambe ou mon bras. Tu fais partie de moi, voilà tout.

— Excuse-moi, mais c'est pas tellement valorisant comme comparaison.

— Je te demande bien pardon. Je ne vais pas passer ma vie à m'extasier devant la beauté, la grâce et le charme de mes jambes, c'est vrai. Mais essaie de m'en couper une et tu verras combien j'y tiens.

— Si tu vas par là, moi, ce serait plutôt mon visage. Et j'arrête pas de le rapetasser, de le tirer dans l'espoir que tu ne te détourneras pas de moi. L'ennui, c'est que tu ne t'en aperçois même pas.

— Mais si, mon petit cœur, mais si ! Et ça me touche beaucoup. Simplement, tu n'as aucun besoin d'en passer par là vu que moi je t'aime en profondeur, pas en surface, si tu vois ce que je veux dire. Toi aussi, non ?

— Oui, bien sûr. Sauf que c'est pas pareil. Une femme doit rester séduisante pour...

— C'est ce qu'on dit. Moi, il y a belle lurette que je t'aime pour ce que tu es, pas pour ce que tu parais. S'efforcer de rester appétissante pour garder son mari, c'est bien joli, mais jusqu'à quel âge ? Si on veut vieillir ensemble, c'est déjà notre cas, il y a un moment où on est bien obligé de s'accepter tel qu'on est : vieux.

— Pourquoi tu m'as laissée faire, alors ?

— Tu veux vraiment savoir ? Parce que je ne m'en suis jamais aperçu. Il y a des jours où tu me paraissais très en forme, d'autres moins, voilà tout. Quand Pat m'a raconté tout ce que tu avais enduré pour... Je suis tombé des nues.

— C'était bien la peine !

— Si, quand même ! Toi, ça te sécurisait, ça te renvoyait l'image de tes trente ans. Moi, si je m'en étais rendu compte, j'y aurais vu une belle preuve d'amour. Et je compte bien te donner la même en menant à l'avenir une vie dont tu feras vraiment partie.

— A condition de guérir.

— Je le jure sur ta tête, la tête ridée, blanchie, branlante de la seule personne que j'aurai aimée de ma vie.

C'est la fête à la clinique Mérieux. Oui, parce qu'il se retrouve à la tête d'une clinique installée dans un somptueux hôtel particulier à Neuilly, Marc. Sur les conseils avisés de Pat, il en est devenu l'un des principaux actionnaires et a décidé d'organiser une énorme garden-party pour le lancement de cet établissement de luxe entouré d'un grand parc planté d'arbres centenaires, entièrement consacré aux mieux-être, paraître-mieux d'une clientèle hyper-gâtée sinon par la nature, du moins par la fortune.

Cures d'amaigrissement, chambres réservées aux patientes désireuses de se cacher pendant les suites postopératoires d'une grosse intervention, salles de remise en forme, institut de beauté, service hôtelier digne d'un relais-château, la réputation de la clinique Marc-Mérieux, la C2M, comme on l'appelle entre initiés, est déjà telle que tout est pris pour les six mois à venir et que la liste d'attente s'allonge de jour en jour.

— Tiens regarde, c'est pas Mady Derly, la petite dame blonde oxygénée en grande conversation avec Denise Fabre ?

— Qu'est-ce qu'elle est bien conservée, dis donc, c'est pas croyable !

— Mady ?

— Non, Denise Fabre.

— Ouais, elle ne bouge pas. Mady, si. Curieux, parce que Mérieux fait partie de la famille. Il vit avec sa fille. Paméla ou Patricia, je ne sais plus.

On se presse autour des buffets. Une foule élégante, le Tout-Paris de la finance, de la presse, des médias et du show-biz. A défaut de vraies vedettes — prudentes, elles ont refusé l'invitation — les photographes mitraillent les étoiles filantes de la télé-réalité, trop jeunes encore pour qu'on puisse les soupçonner d'être passées sous le bistouri du grand patron.

— Tu as très bonne mine, dis donc, Lisa, tu ne te serais pas...

— Non, je n'ai rien fait, si c'est ça que tu insinues, espèce de petite peste. Tiens, à propos, Rosalie, où il en est, ton psy, rapport à tes seins ?

— Pour le moment il les ignore mais je ne désespère pas de les réconcilier un jour... Vivi y est bien arrivée. Et pas seulement avec ses petites fesses, avec son gros ventre.

— Il l'adore, voyons, son ventre, Julien ! Surtout depuis qu'il sait ce qu'il y a dedans. Un garçon.

— Tiens, je croyais que les garçons plus personne n'en voulait. Trop bagarreurs, trop désordre, trop...

— Lui, si. Avoir une fille, à notre époque, c'est ouvrir un bureau des récriminations. Je le vois bien avec Axelle. Regarde, maman, comment tu m'as faite. Trop grosse, trop plate, trop fessue, trop courte sur pattes. Va falloir me changer tout ça. Et vite !

— D'après mon mec, si tu te sens mal dans ta peau, c'est que t'es pas bien dans ta tête.

— Oui, ben, ça, les psy...

— N'empêche, la plupart des grands chirurgiens travaillent en binôme avec un psy maintenant. Il en a un, Mérieux ? Non ?

Ben, alors ce serait bien qu'il rencontre... Tiens, quand on parle du loup ! Attendez que je vous présente. Vincent... Lisa. C'est pour moi, cette coupe de champagne ?

— Non, mais prends-la, je vais essayer d'en trouver deux autres. Pas évident. Moi, jouer des coudes pour... C'est pas tellement mon truc.

— Laissez, j'y vais. Rosa, si tu vois Vivi...

— Je viens avec toi. Faut que je te parle de ce qu'on a dit.

Pauvre Lisa ! Connaissant Rosalie, elle sait que l'autre va la tanner à petits coups insistants, sournois de « Tu me dois bien ça » jusqu'à ce qu'elle lui promette de pistonner son chéri auprès de... De qui d'ailleurs ? De Mérieux ? Sûrement pas, de quoi je me mêle ? Ils se revoient de temps en temps, Marc et Pat avec Lisa et JB, mais de là à... Mady et son mari se joignent d'autant plus volontiers à eux qu'entre Charles et Mérieux se sont tissés les liens improbables — tout les oppose — mais étroits d'une affection quasi filiale. Ils se plaisent, ces deux-là, ils sont même si séduits l'un par l'autre qu'ils s'appellent souvent comme ça, pour rien, pour prendre des nouvelles ou pour demander un conseil.

Les voilà justement. En grande conversation, la longue main du cadet affectueusement posée sur la lourde épaule de son aîné. Un drôle de couple, mais, bon, c'en est un à présent. Bientôt emporté par le flux et le reflux des invités. Qui éloignent Lisa, la séparent de son emmerdeuse de copine et la jettent dans les bras de sa sœur qui cherche leur mère qui tente de rejoindre son mari qui lui fait signe de venir s'asseoir à la table qu'il s'efforce de squatter pour elle et ses filles.

Un peu plus loin, flanquée de son nutritionniste, Salomé, qui en a fait autant, essaie de rameuter les copines.

— Viens là, Vivi. Installez-vous tous les trois, ton ventre, Julien et toi. Lisa te cherchait. Tu l'as vue ? Dis donc, chéri, tu peux pas essayer de te frayer un chemin jusqu'au buffet et nous ramener des tacos et du guacamole ? Adrien, fais pas cette tête-là ! On y a droit, merde, quoi ! C'est fête aujourd'hui. Ah, Lisa, on t'attendait. Salut, JB. Et Axelle où elle est ?

— A la table de ma mère avec son petit

ami. Ce qu'il est beau, le tien, Sal, une vivante réclame pour sa gym et ses régimes.

— C'est bien pour ça que je m'accroche. Tu sais quoi, il a tapé dans l'œil de Pat et elle l'a fait engager à la clinique.

— Ah non, pas ça, pas Pat, pas lui !

— Qu'est-ce qu'il y a, Lisa, ça te dérange ?

— Un peu, oui. Je t'ai pas dit, Vivi ? Rosalie veut que j'intervienne auprès de Mérieux pour son psy.

— Mais il est complètement névrosé, ce mec, voyons, Lisa, avec sa phobie des gros nénés sous prétexte que sa mère avait du retard à l'allaitage quand il était bébé. De toute façon la place est prise, un type connu. Trop. Il a tendance à ramener sa fraise dans les médias et d'ici à ce que Marc en prenne ombrage...

— Ben, alors...

— Alors, tu oublies, OK. Ah, Pat ! Viens donc t'asseoir à côté de moi. Faut que je te demande un truc. C'est rapport à mes lèvres.

— Quoi, tes lèvres ? Elles sont parfaites, pas vrai, Julien ?

— Absolument. Ne me dis pas que tu veux les faire gonfler façon mérou, enfin, chérie.

— Julien, tu ne te mêles pas de ça, tu veux. Va donc plutôt nous chercher de quoi boire. Voilà, t'es mignon !

— Mais non, Pat c'est pas de celles-là que je te parle, c'est des autres, les grandes. Paraît qu'après un accouchement, elles risquent de pendouiller et que ça se répare très bien. Il n'y en a plus que pour la chirurgie génitale depuis deux, trois ans. Est-ce que tu crois que le cas échéant Marc pourrait...

— T'es complètement barjo, décidément, ma pauvre Vivi. C'est pas d'un chirurgien dont tu as besoin, c'est d'un psy.

Alors, Lisa :

— A propos, Pat, c'est pour le copain d'une amie, est-ce qu'il est content du sien, Marc ?

Et Vivi :

— Rappelle-toi de ce que je t'ai dit, Lisa. Tu oublies !

— D'accord, mais à une condition. Tes lèvres, et pourquoi pas tes oreilles, ton nombril, tes coudes, tes pouces ou tes orteils, toi aussi, tu oublies. Black-out total. La bistourimanie, ça se soigne.

— C'est pour moi que tu dis ça, Lisa ?

— Mais non, maman, jamais de la vie ! Vous partez déjà ?

— Oui, Mérieux m'a demandé d'aller coucher Charles. Il lui trouve une petite mine ce soir et il ne veut pas que son chéri veille trop tard.

— Non, mais regardez votre mère ! Tu ne serais pas un peu jalouse, par hasard, ma toute belle ? Faut pas. Il ne s'est rien passé entre nous, pas vrai, Marc ?

— Non, pas encore. On tient à se marier d'abord. Allez, Charles, au dodo, ma puce. Je plaisante, voyons, Mady. J'adore votre mari, mais c'est votre fille que j'aime. Je suis venu la chercher d'ailleurs. Viens, Pat, viens te mêler à nos invités avec moi. Je veux que tu sois la reine de la soirée.

La photocomposition de cet ouvrage
a été réalisée par
GRAPHIC HAINAUT
59163 Condé-sur-l'Escaut
et imprimé par **Bussière**
à Saint-Amand-Montrond (Cher)
pour le compte des éditions Plon
en février 2005

N° d'édition : 13870. — N° d'impression : 050687/1.
Dépôt légal : février 2005.
Imprimé en France